癒しの湯　純情女将のお慰め　目次

第一章　湯けむりの若女将

1

島崎吾郎は列車に揺られている。

座席に腰かけて、車窓を流れる景色をぼんやり眺めていた。

雪で白くなった街を抜けると、やがて周囲は森になる。木々も雪化粧を施しており、なにもかもがキラキラと輝いて見えた。

(俺、北海道にいるんだな……)

ふと実感が湧きあがる。

あらためて考えると不思議な気がした。ついこの間までは東京にいて、例年どおりの年末年始を迎えるつもりでいた。ところが、今は雪国でひとり列車に乗っているのだ。

この状況はまったく想定していなかった。

吾郎はダウンジャケットのファスナーをいちばん上まで引きあげると、自分の身に降りかかった出来事を振り返った。

十二月に入って間もなくのことだった。

ある日突然、なんの前触れもなく辞令がおりた。

年の瀬も押し迫った時期に、まさか東京本社から札幌支店に転勤することになるとは思いもしなかった。社宅が用意されていたのがせめてもの救いだ。慌てて荷造りをして、翌週には北の大地に降り立った。

吾郎は三十二歳の商社マンだ。

勤務している「東都オフィスシステム」は事務用品専門の中堅商社で、企業が主な取引先となっている。

営業員は契約している得意先を定期的にまわり、事務用品の補充やコピー機のメンテナンスを行う。そして、新製品の紹介と提案をして、注文を取るのが基本的な仕事の流れだ。

札幌支店はもともと小規模で社員も少ない。それなのに、営業員がふたりも急病で入院したため、通常の業務に支障が出ていた。そういうわけで、早急に人員を確保する必要があった。

吾郎は独身の平社員で、今現在、大きな案件を抱えているわけではない。つまり身軽なうえ、それほど重要なポジションに就いていないというのが、吾郎に白羽の矢が立った理由だ。

吾郎が東京本店で担当している得意先は、当面は同僚たちが受け持つことになる。社員が多いので吾郎が抜けてもなんとかカバーできるが、札幌支店は応援が必要だった。

営業員は得意先まわりをするだけではなく、新規の取引先を開拓しなければならない。しかし、たいていの企業はどこかの商社と契約している。そこに割りこむのだから簡単なことではなかった。

だが、応援で札幌に来た吾郎はそこまで求められていない。引き継いだ得意先だけはしっかりやれと上司から言われていた。得意先まわりだけでいいのは、かなり気が楽だった。

東京本社の同僚たちは、突然、転勤になった吾郎を憐(あわ)れんだ。

しかし、実際はこちらでの生活を楽しんでいる。東京に恋人がいれば、おそらく転勤がいやで仕方なかっただろう。しかし、恋人どころか女友達すらいないので、まったく問題なかった。

以前、大学の卒業旅行で北海道を訪れている。転勤に抵抗がなかったのは、そのときの印象がよかったことも関係していた。

いずれにせよ、入院している社員が復帰したら、吾郎は東京本社に戻ることになっている。長くても半年ほどだというので、東京のアパートはそのまま残してやってきた。

札幌支店の社宅は賃貸マンションの一室を会社で借りており、吾郎が負担する家賃はごくわずかだ。

場所は札幌の中心部、大通公園まで歩いて数分という好立地で、市民の憩いの場所である狸小路商店街や繁華街のすすきのも近い。おかげで食事や買い物には困らなかった。

とはいっても、札幌の街全体が雪で覆われている。

初心者が雪道を歩くのは想像以上に大変だ。横断歩道などは雪が踏み固められて、まるでスケートリンクのようにツルツルになっていた。十年前とは路面状況がまるで違う。卒業旅行のときは春が近かったので、雪はだいぶ溶けていた。今にして思えば歩きやすかった。

靴を用意する時間がなかったので、東京で履いていた物を持ってきた。ところが、とてもではないがまともに歩けない。滑りどめ加工が施された靴を買ったが、それでも何度か滑って転倒した。そんな状態なので、仕事以外ではあまり出歩いていなかった。

それでも二週間が経ち、雪道にもようやく慣れてきたところだ。

そんななか、年末年始の休暇を迎えた。十二月三十日から一月三日までの五連休だ。

帰省することは考えていなかった。

短い期間の一時的な転勤だ。せっかくなので北海道を満喫したいと思って、大学の卒業旅行で泊まった宿を訪ねる計画を立てた。大晦日から二泊する予定なので、正月は宿で迎えることになる。

行き先は登別温泉だ。

十年前、大学の卒業旅行で北海道をまわった。モテない男ばかり三人のむさ苦しい旅で、華やかさはなかったが楽しかった。金がなかったので、安い宿を探して泊まり歩いたのもいい思い出だ。

そのとき、登別に立ち寄った。

有名な温泉地なので宿はたくさんあるが、値段もそれなりにする。温泉街を抜けて、奥地に足を踏み入れた。

そこで見つけたのが「温泉宿かたおか」だ。

予約をしないで訪れたが、快く受け入れてくれた。しかも、素泊まりだったのに、簡単な食事を提供してくれたのだ。金のない学生の卒業旅行だと知って、若女将が配慮してくれたのだ。

（佳恵さん、元気かな……）

車窓の景色を眺めながら、脳裏に若女将の顔を思い浮かべる。

当時、若女将の片岡佳恵は二十五歳だった。吾郎の三つ年上だが、ずいぶん大人に感じたのを覚えている。やさしくて気遣いができる佳恵に、ほのかな恋心を抱いた。

今回の旅行は、佳恵に会うことがいちばんの目的だ。

とはいっても、彼女は吾郎のことを覚えていないと思う。吾郎も一時的に好きになったが、ずっと想いを募らせていたわけではない。札幌支店に転勤になったことで、懐かしい記憶がよみがえっただけだ。

連絡を取り合うような仲ではなく、吾郎は大勢いる宿泊客のなかのひとりにすぎない。

（それなのに、あの夜は……）

車窓を流れる雪景色が、記憶のなかにある登別の景色に重なった。

2

三月のとある日――。

吾郎を含めた男三人は、新千歳空港に降り立った。

大学の卒業旅行で北海道をまわる計画だ。三人ともはじめての北海道だが、金はあまりない。話し合いの結果、あえて宿を決めないで、行き当たりばったりの旅を楽しむことになった。

まず向かったのは札幌だ。

意外なことに、雪はだいぶ溶けていた。三人とも用心してスノトレを履いてきたので、問題なく歩くことができる。車道は完全に路面が出ており、雪は脇にあるだけだ。

初日はラーメン横丁で味噌ラーメンを食べて、そのあと宿を探してカプセルホテルに宿泊した。

翌日は札幌の観光地めぐりだ。

札幌時計台、テレビ塔、赤れんが庁舎、二条市場など、出費を抑えるためにすべて徒歩でまわった。

夜はすすきのにも繰り出した。華やかなネオンや挑発的な服装の女性に惹かれたが、東京でも夜の店に行ったことがない三人だ。料金が心配で、入店することはできなかった。

そのあと、旭川や網走に足を延ばした。

節約するため、移動は基本的に普通電車と路線バスと徒歩だ。宿はその地域でいちばん安いところを泊まり歩いた。

旭川も網走も、札幌より雪はずっと多い。それでも春が近いらしく、心配していたほどではなかった。

せめて食べ物には金をかけたかったが、カニやイクラはとてもではないが手が出なかった。だが、北海道はジンギスカンと生ビールの食べ飲み放題が多い。昼を我慢して、夜に食いだめをする作戦を何度か遂行した。

四泊目は帯広だ。

昼に名物の豚丼を食べながら、三人で次の行き場所をあれこれ考える。

残金もだいぶ減ってきた。帰りは苫小牧からフェリーに乗る予定だが、その金を考えると、あと一泊しかできそうにない。最後くらいは奮発して、温泉宿に泊まりたかった。

「温泉っていえば登別だろ」

実際のところよく知らないが、吾郎は頭に浮かんだ温泉地を口にした。

友達ふたりも同意して、とにかく登別に向かった。登別駅で電車を降りると路線バスで登別温泉を目指した。

人気の温泉地だけあって、大勢の観光客が歩いている。ホテルも旅館もたくさんあるので片っ端から宿泊費を聞いてまわった。

「思ったより高いな……」

自分たちの持ち金では泊まれない。

しかし、来たからには温泉に入りたかった。周辺には硫黄泉のにおいが漂っており、気分がますます盛りあがっている。とにかく安い宿を探し求めて、ひたすら歩きつづけた。

温泉街を抜けると、やがて地獄谷が現れる。

ここが登別温泉の源泉らしい。荒々しい山肌のあちこちから、白い蒸気がもくもくとあがっている。硫黄泉のにおいもいっそう強くなり、圧倒される光景がひろがっていた。

だが、立ちどまっている場合ではない。宿を探してさらに奥地へと足を踏み入れる。遊歩道があるので、森のなかを進んでいく。木に遮られて日当たりが悪いせいか、積雪が多くなる。足もとが滑るなか、三十分近く歩いただろうか。大湯沼という場所に出た。

どうやら人気スポットのようで観光客が多くいる。しかし、吾郎たちにのんびり観光している余裕はなかった。すでに日が傾きかけているのだ。早く宿を見つけなければと焦っていた。

大湯沼の周辺にも宿はいくつかあるが、やはり予算の面で断念する。

さらに奥へ向かうか、それとも引き返すかで迷った。日が傾いたことで気温がさがっている。完全に日が暮れてしまったら、それこそ大変なことになる。しかし、温泉街から離れた場所なら、安い宿がある気もした。

「行ってみようぜ」

吾郎のひと言で、森の奥につづく遊歩道を進むことになった。

もしひとりだったら、こんな無茶は絶対しない。友達がいるので、なんとかなると思った。

ところが、遊歩道はどんどん細くなっている。積雪もさらに増えており、人が歩いた形跡がほとんどなかった。不安になって戻ろうと思ったとき、ふいに開けた場所に出た。

「なんかあるぞ」

目の前に木造二階建てのこぢんまりとした建物がある。

近づいてみると「温泉宿かたおか」と筆書きされた看板がかかっていた。こんな奥地まで人が来るのだろうか。不思議に思ってあたりを見まわすと、細いながらも車が通れる道があった。

しかし、奥地だからといって安いとは限らない。

建物自体は古そうだが、老舗旅館という可能性もある。由緒ある宿なら、築年数が経っていても高額かもしれない。引き戸をそっと開けば、正面に受付があって立派な太い柱が見えた。

「なんか、すごいな」

恐るおそる足を踏み入れる。

ピカピカに磨きあげられた廊下が奥まで伸びていた。建物は古いが手入れは行き届いているようだ。

「きちんとしてる。ここは高いよ」

ぱっと見た印象を吾郎がつぶやいた直後だった。

「いらっしゃいませ」

澄んだ声が聞こえてドキリとする。

はっとして見やると、正面の受付に着物姿の若い女性が立っていた。いつの間にか奥から出てきたらしい。

黒髪を結いあげており、柔らかい笑みを浮かべている。顔立ちが整っているだけではなく、やさしげな表情が印象的な女性だ。クリーム色の地に可憐(かれん)な桜模様が描かれた着物がよく似合っている。

しっとりとした雰囲気は近寄りがたいが、ひと目見た瞬間、強烈に惹きつけられていた。

「三人なんですけど、お部屋、空いてませんか」

「いちばん安い部屋がいいんですけど」

友人たちが話しかける横で、吾郎は呆然と立ちつくしている。女性の美しさに見惚れて、言葉が出なくなっていた。

「ひと部屋だけ空きがあります。宿泊料金は……」

そこで彼女はいったん言葉を切る。そして、あらたまった感じで三人の顔を順番に見つめた。

「ところで、みなさんは学生さんですか？」

「はい。卒業旅行なんです」

「俺たち明日、東京に帰るんです。最後くらいは奮発して温泉に入ろうって話になりまして」

友人たちが前のめりになって説明する。美人に質問されて、ふたりとも舞いあがっていた。

「でも、残りの金があんまりないんです。やっぱり高いですよね？」

吾郎は割って入るとストレートに尋ねる。

今この瞬間は、宿泊料金より彼女のことが気になっていた。ただ単に言葉を交わしたいがために横から口を挟んだ。

「この時間ですと、お食事をご用意できないのです。素泊まりになりますので、お値引きさせていただきます」

そう言うと、彼女は金額を提示した。

「ひとり一万円か……」

「もう少し安ければ、泊まれるんだけどな……」

友人ふたりがあからさまに肩を落とす。

自分たちの残りの予算では宿泊できない。食事抜きでも無理なら、あきらめるしかない。ところが、ふたりはなんとか食いさがろうとしている。同情を買おうとしているのがわかった。

「粘っても時間の無駄だって……」

ふいに吾郎は投げやりな気持ちになってつぶやいた。

泊まれなくて落胆したのもあるが、苛立ちの原因はほかにある。それが急に噴き出してしまった。

(無駄なことをしてる時間はないんだ)

奥歯をギリッと噛むと、思わず胸のうちで吐き捨てた。

じつは、友人ふたりと違って、自分だけ就職が決まっていないのだ。すでに三月なのに内定がもらえないのはつらかった。

就職活動のスタートが遅れた自分の責任だとわかっている。だが、このままでは就職浪人だ。返事待ちの会社が一社だけ残っているが、もはや完全に自信を失っていた。

正直なところ遊んでいる場合ではない。しかし、卒業旅行はずいぶん前から約束していたので断れなかった。そんな事情があって、吾郎はこの旅行を心から楽しむことができずにいた。

「もういいよ。行こうぜ」

苛立ちにまかせて、ふたりに声をかける。

とにかく、今夜の宿を確保しなければならない。遅くなればなるほど見つけるのは困難になる。ほかの宿でも交渉してみたが、宿泊料金がさがることはなかった。ここで粘るより、早く次に行くべきだ。

「無理を言ってすみませんでした」

頭をさげて踵を返そうとする。そのとき、彼女が口を開いた。

「今日はもう、ほかにお客さんは来そうにないわ。こんな時間だもの。でも、空室があるのはもったいないから、値下げしてでも稼働させたいわ」

独りごとのように言うと、なにやら思案顔になる。そして、吾郎の顔をじっと見つめた。

「半額ではどうでしょうか」

「えっ、半額ですか？」

思わず声が大きくなってしまう。一瞬聞き間違えかと思ったが、彼女はにっこり微笑(ほほえ)んでうなずいた。

「おひとりさま、五千円です」

「それは、ありがたいですけど……」

さすがに気が引ける。さっと見まわしただけでも、五千円で泊まれるような宿ではないとわかった。

「日が落ちたので、外は冷えます。今から戻るのは大変です。こんな奥地まで来ていただいたのですから、ぜひお泊まりください」

「でも、本当に五千円でいいんですか？」

もちろん、安いに越したことはない。だが、この宿は場違いだったと三人とも気づいている。値切るような客が来ることはないだろう。今となっては恥ずかしさすらこみあげていた。

「卒業旅行とのことですので、サービスさせてくださいっ」

信じられない言葉だった。

着物姿の彼女が天使に見える。ようやく宿が見つかり、三人はいっせいに頭をさげた。

「ありがとうございますっ」

自然と声をそろえて礼を言う。一度はあきらめただけに、なおさら喜びは大きかった。

「うちも客室を空けておくより、泊まっていただけるほうが助かりますから」

彼女はそう言って微笑むと、宿帳を取り出した。

最初に提示した料金も割引していたはずだ。そこから、さらに半額にしてくれたのだから、かなりの値引きになっている。彼女はそれらのことを独断で決められる立場にあるようだ。

「ちなみに、お姉さんは女将さんですか？」

唐突に友人のひとりが尋ねる。

どうやら、吾郎と同じ疑問を持ったようだ。宿のことはよくわからないが、女将なら決定権があるのではないか。彼女が何者なのか知りたくて、思わずじっと見つめた。

「わたしは若女将です。片岡佳恵と申します」

不躾な質問にもいやな顔ひとつせず、彼女は丁重に名乗って頭をさげた。

この宿の女将は、佳恵の母親だという。佳恵はまだ修業中の身だと言って謙遜するが、ある程度のことは任されているのではないか。だからこそ、宿泊料金を値引きできたのだろう。

「お食事はご用意できませんが、温泉はご満足いただけると思います。楽しんでくださいね」

常に微笑を湛えており、全身に穏やかな空気を纏っている。これまで出会ったことのない上品な女性だった。

(佳恵さんか……なんてやさしい人なんだ)

吾郎の気持ちはさらに惹きつけられる。

年は佳恵のほうが少し上だと思うが、それほど離れていないだろう。若女将だけあって、しっかりしている。当然ながら学生の自分とは違う。それでいながら親しみも感じる。

見た目だけではなく、心まで清らかで美しい女性だ。とげとげしていた心が癒されていく気がする。

今はじめて、卒業旅行に来てよかったと思えた。

3

素泊まりのはずだったのに、佳恵は料理を部屋に運んでくれた。

焼き鮭と味噌汁と漬物、それに白いご飯だけだが、吾郎たちが腹を減らしていると思ってサービスしてくれたのだ。食事にありつけたのはもちろんだが、なにより佳恵の気遣いがうれしかった。

腹を満たして温泉に入り、三人は横になった。

旅の疲れが出たのか、友人ふたりは早々に鼾（いびき）を掻（か）きはじめた。しかし、吾郎はなかなか寝つくことができなかった。

（俺、どうなるのかな……）

暗い天井を見つめて心のなかでつぶやいた。

明日、東京に帰ると思うと、現実に引き戻されてしまう。

脳裏に浮かんでいるのは就職のことだ。返事待ちの最後の一社が駄目だったら就職浪人の可能性が高まる。

考えるほど不安になってしまう。無理やり目を閉じるが、どうしても眠ることができない。

時刻は午前零時半になるところだ。

大浴場は午前一時までとなっている。まだ間に合う。どうせ眠れないので、もうひとっ風呂浴びようと思って部屋をあとにした。

一階におりて、長い廊下を奥に向かって歩いていく。

宿のなかは静まり返っている。落ち着いた雰囲気の旅館だ。酒を飲んで大騒ぎするような宿泊客はいないのだろう。あらためて五千円で泊まれる宿ではないことを実感する。

男湯の脱衣所には誰もいない。棚に籐の籠が並んでいるのだが、使われているものはなかった。

(貸し切り状態だな……)

ひとりでゆっくり入りたいと思っていたのでちょうどいい。すぐに浴衣を脱いで風呂場に足を踏み入れた。

白い湯けむりが立ちこめており、なかなか雰囲気がある。岩を組み合わせて作られた浴槽が特徴的だ。あえて照明を絞っているのだろう落ち着いた空間になっている。

登別温泉には九種類もの源泉があるという。それぞれ効能や肌触りが異なるので、温泉めぐりが人気らしい。

この温泉宿は乳白色の硫黄泉だ。ゆで卵にも似た香りが強烈で、あたり一帯に漂っている。温泉好きにはたまらないのではないか。とにかく、温泉地に来ている気分を最大限に味わえる。

浴槽の前でしゃがんで、木の桶でかけ湯をする。そして、さっそく乳白色の湯に肩まで浸かった。

「ふぅっ……」

心地よさから思わず声が漏れる。

白濁した湯を両手で掬って顔を撫でた。この硫黄泉はなめらかな肌触りが特徴らしい。腕を撫でてみると、ヌルリと滑るような感じがする。いかにも皮膚によさそうだ。

温泉は最高だが、頭に浮かぶ不安までは拭えない。

そもそも、やりたいことがないまま就職活動に挑んだのが間違いだ。採用してもらえるなら、どこでもいい。そんな甘い考えを見透かされて、何社も不採用になったのだろう。

返事待ちの最後の一社は中堅商社だ。焦りがあったので、面接で必死にアピールした。だが、それが逆効果になっている可能性もある。面接官は何千人もの学生を見ているのだ。そう簡単に騙すことはできないだろう。

（やっぱり、無理だよな……）

考えれば考えるほど絶望的に思える。涙ぐみそうになったとき、風呂場の引き戸がガラガラと開いた。

はっとして振り返る。すると、白いバスタオルを裸体に巻きつけただけの女性が入ってきた。湯けむりごしでも、佳恵だとはっきりわかった。

（ちょ、ちょっと……）

驚きのあまり声が出ない。

ここは男湯なのに、どうして佳恵がいるのだろうか。わけがわからないまま視線をそらせなくなっていた。

黒髪をアップにまとめているのは着物のときと同じだが、白い肩や鎖骨が露になっている。しかもバスタオルの縁が乳房にプニュッとめりこんでおり、下はミニスカートのようで太腿がつけ根近くまで剝き出しだ。

佳恵は洗い場の桶や風呂椅子を、壁ぎわに寄せて積みあげはじめる。

どうやら掃除をはじめるらしい。湯けむりが立ちこめていることもあり、吾郎が浴槽に浸かっていることにまったく気づいていない。誰もいないと思いこんでいるようだ。

自分ひとりでも裸体にバスタオルを巻くところに、佳恵の奥ゆかしい性格が表れている気がする。たとえ誰もいなくても、男湯では素肌を晒すのに抵抗があるのかもしれない。

（やばい……やばいぞ）

声をかけなければと思うが、完全にタイミングを失ってしまった。純情そうな顔をしているので、なおさら躊躇したのが失敗だった。

いつの間にか、大浴場が閉まる午前一時になっていたようだ。今、声をかけたら間違いなく驚かせてしまう。それどころか、彼女の色っぽい姿を盗み見ていたと思われるのではないか。

邪な気持ちを自覚しているため、なおさら不安になってしまう。しかし、このまま黙っているわけにもいかなかった。

「あ、あの……」

緊張しながら声をかける。

その瞬間、佳恵の肩がビクッと跳ねあがった。恐るおそるといった感じで顔を向けると、両目を大きく見開いた。悲鳴が喉もとまで出かかったのか、両手で口を押さえて固まった。

「す、すみません」

とにかく、すぐに謝罪する。

佳恵がバスタオルを巻いていたのがせめてもの救いだ。もし全裸だったら、確実に悲鳴をあげていただろう。とはいえ、まずい状況なのは変わらない。焦りがますます大きくなり、頬の筋肉がひきつった。

「すぐに声をかければよかったのですが……びっくりしてしまって……」

声がどんどん小さくなってしまう。

佳恵に誤解されている気がしてならない。彼女の白い肌に見惚れていたのは事実だが、とっさに声が出なかったのも嘘(うそ)ではない。

「すみませんでした」

再度、謝罪の言葉を口にする。

ところが、佳恵はなにも言ってくれない。ただ重苦しい沈黙が流れて、息苦しさに襲われる。責められているような気持ちになり、この場から逃げ出したくなったときだった。

「申しわけございませんでした」

佳恵がようやく口を開いた。

「きちんと確認しなかったわたしの責任です」

バスタオル一枚を巻きつけた格好で、腰を深々と折り曲げる。

乳房の谷間が強調されて、こんな状況だというのに凝視してしまう。いけないと思っても、どうしても視線をそらすことができなかった。

「いつもこの時間から掃除をしているんです」

佳恵は頭をあげると、穏やかな声で説明してくれる。

毎晩、女湯の掃除は仲居が、男湯は佳恵が担当しているという。そのまま風呂に入るため、バスタオル一枚の格好になっているらしい。

「お寛ぎのところ、不愉快な思いをさせてごめんなさい」

「い、いえ、決してそんなことは……」

吾郎は即座に否定した。

不愉快なはずがない。むしろ佳恵の色っぽい姿を見ることができたのはラッキーだ。ただ、この状況にとまどっていた。

とにかく、誤解されずにすんでよかった。そうなると、とたんに佳恵の身体が気になってしまう。ついついバスタオルが食いこんだ乳房や、剝き出しの太腿に視線が向いた。

「島崎さま――」

ふいに名前を呼ばれてドキッとする。

宿帳に記入したので覚えていたのだろう。だが、名前を呼ばれると、それだけで胸の鼓動が速くなった。

「どうかされましたか？」

佳恵は浴槽の前でかがみこんで両膝をつき、吾郎の顔を見つめる。

ただ単に緊張しているだけだが、彼女の目には具合が悪いと映ったのかもしれない。視線が重なると、なおさら緊張してしまう。顔がカッと熱くなるのを感じて、慌てて視線をそらした。

「お顔が赤いですよ。のぼせているのではありませんか」

「い、いいえ、大丈夫です……」

吾郎はなんとかごまかそうとする。ところが、佳恵はますます心配そうな顔になった。

「失礼します」

そう言うなり、手のひらを吾郎の額にそっと押し当てた。

「熱いです」

佳恵がぽつりとつぶやく。

柔らかい手のひらの感触に高揚して、全身が熱くなる。このままだと本当にのぼせてしまう気がした。

「わたしがいたので、気になってあがれなかったのではないですか？」

「そ、そんなことは……ちょっと考えごとをしていたので……」

「すぐにあがったほうがいいですね。のぼせると急に倒れることがあるので手を貸します」

佳恵は即座に判断すると、さっとかけ湯をして浴槽のなかに立った。

バスタオルが湯を吸ったことで重くなり、今にもずり落ちそうだ。すでに乳房が半分ほど露出している。しかし、佳恵は使命感に駆られているのか、気にするそぶりもなかった。

「ほ、本当に大丈夫ですから……」

「遠慮なさらないでください」

吾郎は慌てて断るが、佳恵は聞く耳を持たない。しゃがんでいる吾郎の正面にまわりこむと、両手をそっと差し伸べた。

「わたしの手につかまってください」

そう言った直後、バスタオルがずり落ちて裸体が露になった。

「あっ！」

佳恵は慌ててバスタオルを拾いあげると身体に巻き直す。

裸体を拝めたのは、ほんの一瞬だけだ。しかし、吾郎はコンマ何秒かの間に女体を隅々まで凝視した。千載一遇のチャンスを逃すまいと、すべてを脳裏に刻みこんだ。

（佳恵さんの……お、おっぱい……）

テンションが最高潮にあがった。

インターネットやAVで見るヌード画像とは、迫力がまるで違う。佳恵が身をよじると、大きな乳房がタプンッ、タプンッと激しく揺れた。双つのたっぷりしたふくらみが、柔らかく波打って形を変えたのだ。

（す、すごい……）

頭のなかが乳房の残像で埋めつくされる。

じつは、女性の裸をナマで見るのはこれがはじめてだ。いまだに童貞で、一刻も早くセックスを経験したいと思っていた。そんな状況なので、佳恵の裸体を目にした衝撃は大きかった。

乳房は白くて大きく、魅惑的な曲線を描いて隆起していた。しかも、山頂部分に桜色の乳首がちょこんと乗っていたのを見逃さなかった。

腰はS字のラインを描いていた。キュッと締まっているため、なおさら乳房の大きさが強調されるのかもしれない。

下半身もしっかり記憶に残っている。

恥丘はふっくらとして、肉厚なのがひと目でわかった。そこに黒々とした陰毛が自然な感じで生い茂っていた。

「ごめんなさい。醜いものをお見せして……」

佳恵は顔をまっ赤にしている。

一瞬とはいえ、裸体を見られてしまったのだから当然だ。しかし、今も濡れたバスタオルが肌にぴったり貼りついている。本人は気づいていないが、色っぽい姿になっていた。

「み、醜くなんかないです」

吾郎は即座に否定して、顔を横に向ける。

本当は見たくてたまらない。だが、見てはいけないと思って、懸命に視線をそらした。

「おやさしいんですね」

「そんなことないです……」

顔が火照るのがわかる。照れくささをごまかそうとして、つい口調がぶっきらぼうになった。

「あっ、また赤くなりました」

「佳恵さんこそ、赤いじゃないですか」

つい勢いで「佳恵さん」と呼んでしまう。なおさら照れくさくなり、耳まで熱くなった。

「ふふっ……まっ赤ですよ」

「佳恵さんのせいです」

一度は名前で呼んだので、言い直すのもおかしいと思う。しかし、彼女の名前を口にするたび、顔がさらに火照るのがわかった。

「もしかして、のぼせてないのですか？」

佳恵が近づいて顔をのぞきこむ。どうやら、自分の早とちりだったと気づいたらしい。

「だから、そう言ってるじゃないですか。ただ考えごとをしていただけです」

吾郎はそっぽを向いてつぶやいた。

「ごめんなさい。なにか悩みでもあるんですか？」

佳恵が眉を八の字に歪めて、申しわけなさそうに謝罪する。そして、バスタオルをはずすと湯のなかに身体を沈めた。

（おっ……）

一瞬、期待がふくれあがる。

ところが、乳白色の湯が女体をすっかり隠してしまう。かろうじて細い鎖骨となよやかな肩が見えているだけだ。

（でも、俺も……）

胸に焦りがこみあげる。

先ほど佳恵の裸体を目にしたときからペニスが勃起していた。乳白色の湯が隠してくれたおかげで、なんとかばれずにすんだ。それなのに、なぜか佳恵は近づいてくる。

「最初にお会いしたときから気になっていました。卒業旅行だとおっしゃっていたのに、島崎さまだけ表情が暗かったので」

若女将だけあって、客のことをよく観察している。

確かにそのとおりだ。友達の手前、楽しんでいるふりをしていたが、実際は卒業旅行どころではなかった。

「もしよかったら、お話を聞かせてもらえませんか」

佳恵はすぐ隣に来ると、吾郎の横顔をじっと見つめる。

距離が近い。乳白色の湯で隠れているが、ふたりとも生まれたままの姿だ。それを思うと、よけいに緊張してしまう。視線を合わせることができず、吾郎は意識して前だけを向いていた。

「話しても意味ないです」

「お力になれるかはわかりませんが、話すことで楽になるかもしれませんよ」

佳恵が穏やかな声で語りかけてくる。

そう言われると、そんな気もするから不思議なものだ。吾郎は素直な気持ちで口を開いた。

「じつは、俺だけ就職が決まっていないんです。最後の一社の返事待ちなんですけど、受かっている気がしなくて……でも、卒業旅行は友達とずっと前から約束していたから、断るのも悪いと思って……」

気乗りしないまま、卒業旅行に参加したことを打ち明ける。

友達の前では陽気に振る舞っていたが、なぜか佳恵には本音で語ることができた。無関係な人だからなのか、それとも佳恵を信頼しているからなのか、自分でも理解できない。

とにかく、胸にためこんでいた思いを吐露したことで、ふいに涙腺が緩んでしまう。吾郎は慌てて両手で湯を掬うと、顔をバシャバシャと洗って潤んだ目をごまかした。

「友達思いのやさしい方なのですね。わたしは就職活動をしていないので、偉そうなことは言えないのですが……」

佳恵はそう前置きをして、静かに語りはじめる。

「島崎さまの心のやさしさに気づく人はきっといるはずです。そういう面接官に出会えれば、きっと採用されると思います」

「そうかな……」

吾郎はそっけない返事をした。

そんな奇特な面接官に出会えるとは思えない。そもそも自分はやさしくなどない。すでに就職が決まっている友人ふたりと旅行しながら、心のどこかで嫉妬していた。

「俺、就職が決まった友達が旅を楽しんでいるのを見て、本当は苛々していたんです……最低ですよ」

黙っていればいいのに、ついよけいなことを言ってしまう。

醜い内面を見せれば、佳恵が引くのはわかっている。だが、本心を隠してまで好かれようとするのは違う気がした。

「ご自分のことを、そんなに責めないでください」

佳恵の声は相変わらず穏やかだ。引くどころか、いっそうやさしげな微笑を浮かべていた。

「そうやって打ち明けることができるのですから、やっぱりやさしいのだと思います」

佳恵はそう言いきると、にっこり微笑んだ。

「お願いがあります。わたしの悩みも聞いてもらえますか？」

「悩みなんてあるんですか？」

つぶやいた直後、馬鹿なことを言ったと思う。どんなに幸せそうに見える人でも、なにかを抱えているものだ。

「すみません……悩みくらいありますよね」

「島崎さまの悩みに比べたら、ささいなことですけど……」

佳恵の声のトーンが少し落ちた気がする。

美しい若女将は、いったいどんな悩みを抱えているのだろうか。吾郎は彼女の整った横顔をじっと見つめた。

「温泉宿かたおかは、曾祖父の代からつづいているんです」

佳恵がぽつりぽつりと語り出す。

老舗旅館のひとり娘として生まれて、佳恵は家業を継ぐことを義務づけられていた。大学を卒業すると、仲居としての修業がはじまった。二年間、旅館の仕事を学び、今年の春、若女将になったという。

「本当はもっと修業したかったのですが、父も母も高齢なので、早く一人前になる必要があって……若女将になりましたが、実力が見合っていないので恥ずかしいです」

佳恵はつらそうに視線を落とした。

老舗旅館だけに、ベテランの仲居や料理人、庭師などがいる。そういった人たちは決まって職人気質（かたぎ）で、たとえ若女将でも仕事ができなければ、まるで相手にしないという。

「まだ二十五歳のわたしが、ベテランの人たちにいくら言っても、返事もしてくれません」

佳恵の声はどんどん小さくなっていく。

高齢で病気がちの女将に代わって、佳恵が社員に指示を出しているらしい。そんな重責を担っていながら、若女将としての仕事もある。跡継ぎは就職活動がなくて楽だと思ったが、また別の苦労があるようだ。

「大変なんですね……」

とてもではないが、吾郎には耐えられないだろう。

実際、佳恵は深夜に風呂掃除をしている。若女将というだけで華やかに見えるが、実態は違うようだ。

「どうか、身体を壊さないように……」

吾郎に言えるのは、それくらいしかない。残念ながら力になれることはなにもなかった。

「そんなこと言っても、意味ないですね」

言った直後に苦笑が漏れる。

自分の言葉の空虚さに呆(あき)れてしまう。

まだ就職すら決まっていないのに、なにを偉そうに言っているのだろうか。三つ年上の佳恵は、若女将としてがんばっている。吾郎の言葉には、なんの説得力もなかった。

仮に就職できたとして三年後、佳恵と同じ年齢になったとき、そこまで責任のある立場にいるだろうか。会社員では、まずあり得ないと思う。でも、佳恵は自分が望まなくても、やらなければならない。旅館を継ぐというのは、いかに大変かが少しはわかった気がした。

「ありがとうございます。元気になりました」

佳恵は微笑を浮かべて頭をさげる。だが、礼を言われるようなことは、なにもしていなかった。

「俺は、なにも……」

「話を聞いてくれただけでもうれしいです。愚痴を言う相手もいませんから」

佳恵は独身で、恋人もいないという。

旅館の裏手にある実家で暮らしていて、両親と同居なので仕事の愚痴を言うこともできないらしい。

「俺の悩みなんて、佳恵さんに比べたら……」

「人それぞれ、いろいろあります。わたし、島崎さまのこと応援してます」

そう言ってくれるのはうれしいが、同時に恥ずかしくなってしまう。

就職が決まらないのは自分の責任だ。佳恵の悩みとは、根本的に種類が違っていた。逃げ出したくなり、思わず立ちあがった。

「俺、あがります」

湯がザーッと音を立てる。

「えっ……」

佳恵が小さな声を漏らして目を見開いた。

視線は吾郎の股間に向いている。乳白色の湯のなかから、勃起したままのペニスが現れたのだ。彼女が驚くのも無理はない。さんざんまじめな話をしていたのに、吾郎はペニスを勃起させていたのだ。

「あっ、こ、これは……」

慌てて腰を落として再び湯に浸かる。

じつは、佳恵の裸を見たときから勃起したままだった。それを忘れて、つい立ちあがってしまった。

「お、女の人と風呂に入るなんて、はじめてで……」

つぶやいた直後、自分でも言いわけじみていると思う。とにかく、勃起しているのは事実だ。この状況では、なにを言っても無駄だろう。

(頼む、鎮まってくれ)

心のなかで念じるが、そんなことで勃起が収まるはずもない。完全に嫌われたと思ったが、なぜか佳恵は表情をふっと緩めた。

4

「今度は島崎さまが元気になる番です」

佳恵はそう言うと、身体をすっと寄せる。

肩と肩が触れ合ってドキッとした直後、勃起したままのペニスに甘い刺激が走り抜けた。

「うっ……」

思わず小さな声が漏れる。

乳白色の湯のなかで、佳恵がペニスをそっとつかんだのだ。直接、見ることはできないが、ほっそりした指が太幹に巻きついているのがわかる。まるで硬さを確かめるように、にぎにぎと力を入れた。

「ここは元気なんですね」

佳恵の頬が桜色に染まっている。

温泉に浸かったことで身体が火照っているのか、それともペニスに触れたことで興奮しているのか。いずれにせよ、妙に色っぽい瞳で、吾郎の顔をじっと見つめていた。

「な、なにを……」

小声でつぶやくのがやっとだった。

なにしろ、ペニスを女性に触られるのは、これがはじめての経験だ。軽く握られているだけでも、腰が小刻みに震えるほど感じていた。

「せっかく北海道に来たのですから、楽しい思い出を作って帰ってほしいです。

ここに座ってください」

佳恵は右手でペニスを握ったまま、左手で浴槽の縁を指し示す。

「で、でも……」

そこに座ったら、ペニスがまる見えになってしまう。

快感に悶えて期待するが、恥ずかしさが先に立ってしまう。ところが、まるで舵を取るようにつかんだペニスで誘導されて、吾郎は導かれるまま浴槽の縁に腰かけていた。

「島崎さまの……すごく立派です」

佳恵は湯に浸かったまま、吾郎の正面に移動する。右手ではペニスをしっかりつかんでおり、ゆるゆるとしごいていた。

虫も殺さない顔をしているが、行動は意外と大胆だ。いや、これは大胆なフリをしているだけではないか。ときおり視線が不安げに泳ぐので、やはり緊張しているとしか思えなかった。

「ううっ……」

ペニスをしごかれるたびに呻き声が溢れ出す。

快感がひろがっているが、同時に羞恥も大きくなっている。吾郎は無意識のうちに膝をぴったり閉じていた。

「脚を開いてください」

佳恵がペニスをしごきながら、やさしくささやく。だが、恥ずかしくて、どうしても膝に力が入ってしまう。

「こういうことされるの、はじめてですか?」

「は、はい……」

吾郎はうつむいたまま、かろうじてつぶやいた。

かつてないほど興奮して、胸が苦しくなっている。これまで経験したことがないほど昂(たかぶ)っていた。

「お、俺、どうすれば……」

「大丈夫ですよ」

佳恵がいっそうやさしい声でささやいて、ペニスをゆったり擦りあげる。

清純そのものといった雰囲気とのギャップで、なおさら淫らに感じるのかもしれない。ほっそりした指がペニスに巻きついているのを見るだけで、鼻息が荒くなってしまう。

「わたしにまかせてください」

佳恵は安心させるように言うと、右手でペニスを握ったまま、左手を吾郎の膝にあてがった。

「吾郎さん……脚を開いてください」

名前で呼ばれると、急に距離が縮まった気がする。

胸の鼓動が速くなり、身を委ねたい気持ちが湧きあがった。おずおずと脚を開くと、佳恵がすかさず膝の間に入りこんだ。

「旅の楽しい思い出を作ってあげます」

そう言うなり、佳恵は股間に顔を寄せる。そして、唇を亀頭の先端にそっと押し当てた。

「ううっ、ちょ、ちょっと……」

とまどいの声を漏らすが、佳恵はそのまま亀頭を咥(くわ)えこむ。そして、首をゆっくり振りはじめた。

「ンっ……ンっ……」

微(かす)かに漏れる声が色っぽい。上目遣いに吾郎の表情を確認しながら、唇で太幹をヌプヌプと擦りあげる。

「くううッ、そ、そんなことされたら……」

童貞の吾郎はひとたまりもない。ペニスはますます硬くなり、先端から大量の我慢汁がどっと溢れ出した。

信じられないことに、美しい若女将がペニスをしゃぶっている。いつか経験したいと思っていたフェラチオが、現実のものになっているのだ。咥えられているだけでも気持ちいいのに、佳恵は首をゆったり振っていた。

「ダ、ダメですっ……うううッ」

射精欲がふくれあがり、懸命に奥歯を食いしばって耐える。両手で浴槽の縁をつかみ、無意識のうちに爪を立てた。

「はむンンっ」

佳恵の口のなかは、我慢汁でいっぱいになっているはずだ。それなのに気にすることなく、舌を亀頭に這(は)わせている。舌先をネロネロとまわして、まるで飴玉(あめだま)のように舐(な)めまわした。

「す、すごいっ……くうううッ」

呻き声を抑えられない。

張りつめた亀頭の表面に、柔らかい舌が這いまわるたび、蕩(とろ)けそうな快感が走り抜ける。ペニス全体を唾液でコーティングされて、さらに唇でヌルヌルと擦られると、たまらず腰が小刻みに震え出した。

「気持ちいいですか?」

佳恵がペニスを咥えたまま、くぐもった声で尋ねる。

吾郎は湯のなかで両脚をつま先までピーンッと伸ばして、快楽にまみれながらガクガクとうなずいた。

「き、気持ちいいですっ、ううゥッ、出ちゃいますっ」

「いっぱい出してください……あむううっ」

再びペニスを深々と咥えこむと、佳恵は首をリズミカルに振りはじめる。柔らかい唇で太幹を擦られて、射精欲が爆発的にふくらんでいく。頭のなかがまっ赤に燃えあがり、さらなる快感の大波が押し寄せた。

「ううゥッ、も、もうっ、くうううッ」

「あふッ……むふッ……はンンッ」

吾郎が呻き声をあげると、佳恵はさらに首を激しく振り立てる。唇で太幹をしごくと同時に、舌で亀頭をねちっこく舐めまわして、射精をうながすように尿道口をチロチロとくすぐった。ペニスはさらにひとまわり大きくふくらみ、ついに限界が訪れた。

「くおおおッ、で、出るっ、出ちゃうっ、くおおおおおおッ！」

老舗旅館の浴室に呻き声が反響する。吾郎は股間を突きあげると、我慢できずに欲望を解き放った。

ペニスが佳恵の口のなかで跳ねまわり、先端から熱い粘液をドクドクと放出する。自分の手でしごくのとは比べものにならない快感だ。経験したことのない愉悦のなかで、精液を思いきり噴きあげた。

「き、気持ちいいっ！」

「あむううッ！」

佳恵は頬がぼっこり窪むほどペニスを吸い立てる。そうすることで、射精の快感がさらに大きくなり、吾郎の全身が感電したように痙攣した。

「おおおッ……おおおおッ」

まるで魂まで吸い出されるような衝撃だ。

凄まじい快感が股間から脳天まで突き抜けて、思わず獣のような雄叫びをあげていた。射精はかつてないほど長くつづき、吾郎は体を仰け反らせて最後の一滴まで放出した。

「くううッ……」

「あァンっ……はむうぅっ」

佳恵は尿道のなかに残っている精液まですべて吸い出してくれる。しかも、躊躇することなく飲みくだした。

「はぁっ……いっぱい出ましたね」

ようやくペニスを吐き出すと、佳恵は目を細めて微笑んだ。

吾郎は精も根も尽き果てて、なにも言うことができない。ただハアハアと乱れた呼吸をつづけていた。

「旅の思い出になったでしょうか」

佳恵が恥ずかしげに問いかける。

「も、もちろんです……」

なんとか、かすれた声を絞り出す。

旅の思い出どころか、一生の思い出になった。はじめてのフェラチオはじつに刺激的な体験だった。

「お掃除はあとでやりますので、ゆっくり浸かってください。それでは、失礼いたします」

佳恵は穏やかな声で告げると、浴槽のなかで立ちあがり、裸体にバスタオルを巻きつける。そして、軽く頭をさげて、浴室から出ていった。

5

（どうして、あんなことしてくれたのかな……）

吾郎は車窓の景色を眺めながら、十年前の出来事を思い出していた。

温泉でフェラチオしてもらったあと、しばらく呆けたように温泉に浸かってから、こっそり部屋に戻った。友達ふたりは鼾をかいて眠っていた。抜け駆けしたような形になったが、悪いとは思わなかった。

自分も旅のいい思い出を、ひとつくらいは持って帰ってもいいだろう。そんなことを考えながら横になり、いつの間にか眠りに落ちていた。

翌朝、佳恵はなにごともなかったように振る舞った。

少し寂しい気もしたが、友達に知られるわけにはいかない。だから、吾郎も顔に出さないように細心の注意を払った。

一夜限りの関係だ。きっと互いに触れるべきではないのだろう。もちろん、東京に戻ってからもいっさい連絡は取っていなかった。

（俺のことを憐れに思ったのかもしれないな……）

佳恵は心やさしい女性だ。

就職が決まらなくて落ちこんでいた吾郎を慰めてくれたのだろう。彼女自身も若女将の仕事で悩みを抱えていた。多少なりとも共感してくれたのか、それともストレスを発散したかったのか。いずれにせよ、フェラチオしてくれたことは事実だった。

元気をもらって東京に戻ると、最後の一社から内定の通知が届いた。迷うことなく入社して、現在に至っている。

佳恵のおかげで気持ちが前向きになり、運を引き寄せることができたのではないか。そんなことを、なかば本気で考えていた。

とにかく、佳恵と出会ったことは、吾郎のなかで大きな出来事だった。あのことは誰にも話していないし、これからも話すことはないだろう。佳恵と温泉で過ごした時間は、自分だけの秘密だ。

就職後、しばらくして大学時代の後輩とつき合うことになり、はじめてのセックスを経験した。交際は一年ほどつづいたが、互いに仕事が忙しくなったこともあり、別れることになった。

そのあとは出会いもなく、恋人ができないままだ。

佳恵にこだわっていたわけではないが、ときどき思い出していた。温泉でのフェラチオと、やさしく接してくれた印象が強かった。とはいえ、もう二度と会うことはないだろうと思っていた。

ところが、札幌への転勤が決まった。

短期間だけの応援要員だが、せっかくの機会だ。年末年始の休暇は、温泉宿かたおかで過ごすことに決めていた。

とはいっても、佳恵と交流があるわけではないので、インターネットの旅行サイトで予約をした。あれから十年も経っているのだ。佳恵は自分のことなど忘れているだろう。

(それならそれで、仕方ないな……)

とにかく、今の彼女を見てみたい。

佳恵は忘れられない女性だ。温泉宿かたおかが営業しているのだから、跡継ぎの佳恵はいるはずだ。顔を見ることができれば、それでよかった。

登別駅で列車を降りると、路線バスではなくタクシーに乗りこんだ。

今は雪に埋もれているため、遊歩道は閉鎖になっている。大湯沼のさらに奥にある温泉宿かたおかに行くには、車でまわり道をするしかない。

「温泉宿かたおかまでお願いします」

運転手に告げると、一瞬、おかしな間があった。

「かたおかさんですか。あそこに行くのは久しぶりですよ」

頭髪の薄い年配の運転手は、まるで独りごとのようにつぶやいた。

タクシーはゆっくり走り出すと、まずは温泉街に向かう坂道を登っていく。雪は降っておらず、青空がひろがっている。だが、周囲はまっ白で、積雪は坂を登るほどに増えていた。

「かたおかさんには、以前にもお泊まりですか？」

ふいに運転手が口を開く。さりげない口調を装っているが、どこか興味津々といった感じだ。

「ええ、もう十年も前ですが」

「なるほどなるほど、なかなか通ですな」

運転手は納得したようになんどもうなずいた。

「ほとんどのお客さんが温泉街に向かわれるものですから、かたおかさんはめずらしいですよ。あそこは常連客が多い老舗ですからね」

「そうなんですね」

なんとなくわかる気がする。

温泉宿かたおかは山の奥にひっそりあるので、なんとなく近寄りがたい。はじめての人は敬遠するのではないか。賑(にぎ)やかな温泉街や地獄谷からは、ずいぶん離れており、知る人ぞ知る隠れ家的な宿といった感じだ。

温泉街までは、車やタクシーが何台も走っていたが、その先は急にガラガラになる。車はほとんど走っておらず、対向車もほとんど見かけなくなった。

（あれから十年か……）

あらためて考えると、わくわくすると同時に緊張する。

佳恵は三十五歳になっているはずだ。落ち着いた感じの美しい女性になっているのではないか。想像するだけでも気持ちが昂ってしまう。

今さら、なにかあるはずもない。

頭ではわかっているが、どうしても期待がこみあげる。一度だけでもいいので身体の関係を持てないかと、あれこれ妄想がひろがっていた。

しかし、すでに結婚しているかもしれない。両親は引退して、夫婦で宿を切り盛りしている可能性もある。そのときは吾郎のことを忘れていてほしい。吾郎も初対面のふりをするつもりだ。

「つきましたよ」

タクシーが速度を落として、やがて停車した。

運転手が告げなければ、そこが温泉宿かたおかだと気づかなかっただろう。建物は完全に雪をかぶっており、巨大なかまくらのようになっている。記憶のなかにある木造二階建ての旅館とは、まったく違う姿になっていた。

「昔はきちんと雪おろしをしていたんだけどね。やっぱり、今は人手が足りないのかねぇ」

運転手がぶつぶつ言っているが、それより佳恵に会えると思うと居ても立ってもいられない。とにかく料金を支払ってタクシーを降りた。

（やっぱり寒いな……）

山の上ということもあり、頬に触れる空気が冷えきっている。まるで刺すような痛みを感じて、思わず肩をすくめた。

宿泊客の車が停まっているかと思ったが、意外なことに一台もない。駐車場はほとんど雪で埋もれた状態だ。タクシーで来る人のほうが多いのだろうか。しかし、それだと先ほどの運転手の話と一致しなかった。

不思議に思いながら宿の入口に向かう。

さすがに雪かきがしてある。両端に雪が積みあげられており、細い通路のようになっていた。

入口にたどり着くと「温泉宿かたおか」の看板が見えてほっとする。間違いなく十年前に訪れたあの宿だ。

思いきって引き戸を開ける。

ガラガラという音が響いて、正面の受付と立派な太い柱が目に入った。奥に伸びている長い廊下も見覚えがあり、懐かしさが胸にこみあげた。

「いらっしゃいませ」

透明感のある澄んだ声とともに着物姿の女性が現れる。そして、受付のカウンターごしに吾郎の顔をまっすぐ見つめた。

(よ、佳恵さん……)

見紛(みまが)うはずがない。

一瞬で記憶がよみがえる。まるでタイムスリップしたように、心があのころに戻っていた。

かつて吾郎を慰めてくれた佳恵が、すぐそこに立っている。十年前と変わらぬ微笑を浮かべて、やさしげな瞳を向けていた。

落ち着いた若菜色の地に松が描かれた着物に身を包み、黒髪を結いあげた姿は凛(りん)としている。まるで後光が差しているように眩(まばゆ)く感じて、吾郎は思わず目を細めた。

あれから十年が経ち、美しさに拍車がかかっている。

以前は少女のような可憐さがあったが、今は大人の色気がほのかに漂う素敵な女性に変化していた。

「あ、あの……」

緊張のあまり喉がカラカラに渇いて声が出ない。いったん言葉を切ると、唾をごくりと飲みこんだ。

「よ、予約をした島崎です」

なんとか声を絞り出す。

すると佳恵は丁重に腰を折り、深々と頭をさげた。そのとき、白いうなじがチラリと見えて、胸の鼓動が高鳴った。

「お待ちしておりました」

寸分の隙もない挨拶だ。

予約していた客を迎える態度としては完璧だと思う。だが、やはり吾郎のことは覚えていないらしい。

（残念だけど……）

あれから十年も経っているのだから仕方ない。

何百人、何千人という客を見ているうちに、吾郎のことは記憶の彼方に埋もれてしまったのだろう。そう自分に言い聞かせて、気持ちに折り合いをつけようとしたときだった。

「お久しぶりです。吾郎さん」

佳恵はそう言うと、満面の笑みを浮かべた。

「よ、佳恵さん……」

吾郎も思わず呼びかける。

視線が重なり、胸の奥が熱くなった。なにか言わなければと思うが、言葉にならない。覚えていてくれたことが、なによりもうれしい。それだけでも泊まりに来てよかったと思う。

「よく俺なんかのことを……」

それだけ言うのがやっとだった。思わず涙ぐみそうになり、なんとかぐっとこらえた。

あのとき、佳恵に出会っていなければ、卒業旅行の印象はまったく違うものになっていただろう。なにより、腐りきっていた吾郎は、身も心も癒されて帰京することができた。

佳恵のおかげで北海道が好きになった。札幌支店への転勤も快く引き受けることができたのだ。

「ご予約の氏名を見て、すぐにわかりました」

佳恵の瞳にも光るものが見える。

口もとには微笑をたたえているが、胸にこみあげるものを懸命にこらえているようだ。

「わたしのこと、覚えていてくれたんですか？」

「もちろんです。佳恵さんのおかけで、俺、がんばることができたんです」

話したいことはたくさんあるが、心の整理がついていない。とにかく、それだけをつぶやいた。

「わたしも若女将になったばかりで悩んでいたときだったので、吾郎さんのことは印象に残っています。わたしも元気をいただきました」

佳恵の言葉が心に染みわたる。思いがけず感動的な再会になり、吾郎の胸は高鳴った。

「あれ、女将さん、どうして泣いてるんですか？」

ふいに声が聞こえてはっとする。

廊下を見やると、臙脂（えんじ）色の作務衣を着た若い女性が立っていた。

服装からして仲居なのは間違いない。年齢は二十歳前後だろうか。セミロングの黒髪が艶々しており、愛らしい顔立ちをしている。佳恵の顔を見て、楽しげにニコニコ笑っていた。

「絵里（えり）ちゃん、お客さまの前ですよ」

「あっ、すみません」

絵里と呼ばれた女性は、肩をすくめてピンクの舌先をチロリとのぞかせる。そして、吾郎に向き直ると丁寧に頭をさげた。

「いらっしゃいませ」

「どうも……お世話になります」

困惑しながら吾郎も挨拶する。

すると、再び絵里は楽しげな笑みを浮かべた。そして、軽やかな足取りで受付のなかに入っていく。

「騒がしくてごめんなさい」

佳恵が苦笑を漏らして謝罪する。

「新人の仲居なの。働き者で悪い子ではないのだけど、ちょっと落ち着きがなくて困ってるのよ」

彼女は高山絵里、二十歳。半年ほど前に入った仲居だという。

佳恵は困っていると言いながら、温かい瞳で絵里を見つめている。きっとかわいがっているに違いない。それが伝わってくるから、吾郎も自然と温かい気持ちになった。

「まったく問題ないです。明るくて感じのいい子じゃないですか」

「そう言ってもらえるとうれしいわ。ありがとうございます」

佳恵は微笑んで、再び頭をさげた。

「お客さま、宿帳にご記入お願いします」

絵里に声をかけられて、吾郎は受付に向かう。

さっそく宿帳に記入をはじめると、絵里は興味津々といった感じでじっと見つめた。

「では、参りましょう」

佳恵に先導されて廊下を進み、階段で二階にあがっていく。宿のなかがやけに静かなのは、まだ午後の早い時間のせいだろうか。

そのとき、佳恵のヒップが目に入った。

階段を昇っているので、ちょうど吾郎の目の前に双臀が迫っている。着物に尻たぶのまるまるとした形が浮かびあがり、むっちりと張りつめているのだ。しかも、階段をあがるたび、左右にプリプリと揺れていた。

(よ、佳恵さんの尻……)

思わず唾をゴクリと飲みこんだ。

佳恵の尻をナマで見てみたい。十年前も尻を拝むことはできなかった。着物の下で揺れる熟れた双臀が、吾郎の欲望を猛烈に刺激した。

「北海道には、今日いらっしゃったのですか?」

ふいに声をかけられて、吾郎は慌てて顔をあげる。すると、振り返った佳恵と視線が重なり、顔がカッと熱くなった。

「じ、じつは、転勤で二週間ほど前から札幌に住んでいるんです。それで、年末年始はこちらで過ごそうと思いまして……」

「そうだったのですね。お会いできてうれしいです」

佳恵の言葉が胸に染みる。

二階にあがると廊下を進み、客室に到着した。十畳ほどの和室で、窓から雪をかぶった山々が見える。ユニットバスがあるが、風呂は大浴場を使うことになるだろう。

「就職活動はうまくいったのですね」

佳恵が穏やかな声で尋ねる。

十年前、吾郎が就職のことで悩んでいたのを覚えているのだろう。それがうれしくて、またしても胸が熱くなった。

「そうなんです。東京に帰ったら、最後の一社から内定の連絡が来たんです。佳恵さんと出会ったことで、運が向いた気がします」

「吾郎さんが、ご自身でがんばった結果です」

佳恵が柔らかい笑みを向けてくれる。

それを見ているだけで、胸がほっこり温かくなった。十年前と変わらず、心を癒やしてくれる。吾郎は彼女の笑顔が大好きだった。

「さっき、仲居さんが女将さんって呼んでいましたけど、もしかして……」

気になっていたことを質問する。

聞き間違いでなければ、若女将から女将になったのではないか。十年も経っているのだから、状況はいろいろ変化しているに違いない。

「はい。女将になりました」

佳恵が穏やかな表情で語りはじめる。

三年前に両親が立てつづけに亡くなり、佳恵が女将になったという。いまだに未婚のままなので、ベテラン従業員に協力してもらって、なんとか切り盛りしてきたらしい。

「ご両親が……大変だったんですね」

「若女将になったときに苦労したので、それほどでも……」

その言葉で思い出す。

十年前、佳恵は若女将になったばかりで、ベテラン従業員たちが口も聞いてくれないと嘆いていた。

「今は、みなさんが協力してくれるようになったんですね。認められた証拠じゃないですか」

女将になったのだから、当然のことかもしれない。しかし、十年前の姿を知っているだけに、感慨深いものがあった。

「ええ……」

ところが、佳恵の表情は浮かない。

なにかまずいことを言ってしまったのだろうか。佳恵のテンションは明らかに落ちていた。

「お食事は午後六時からになっております。それでは、失礼いたします」

丁重に頭をさげると、佳恵は部屋から出ていった。

なにか失敗した気がするが、それがなんなのか見当もつかない。だが、二泊するので、これから話をする機会はあるだろう。

（佳恵さん、独身なんだな……）

今はそのことが気になっている。

もしかしたら、少しはチャンスがあるかもしれない。そんなことを考えて、ひとりで盛りあがった。

第二章　一夜だけの情交

1

夕食の前にひとっ風呂浴びることにした。

一階の大浴場に向かうと、ほかには誰もいなかった。貸し切り状態なのはうれしい。さっそくかけ湯をして、岩を組み合わせて作られた浴槽に浸かった。こうしていると懐かしさが胸にこみあげる。

(十年前と、まったく変わってないな……)

思わず浴槽の縁をそっと撫でた。

ここに座って、佳恵にフェラチオをしてもらったのだ。あのときの快感は心と体にしっかり刻みこまれていた。

それにチラリと見えた佳恵の裸体も、瞼の裏に焼きついている。美しい身体に触れてみたい。そして、ひとつになって腰を振り合いたい。あの光景を思い出すたび、そんなことを考えてしまう。

三十五歳になった今、美しさに磨きがかかっているに違いない。着物の上からでも、熟れて肉感的になっているのがわかった。

（うっ、や、やばい……）

ペニスがズクリッと疼いて勃起しそうになる。

慌てて頭を横に振ると、湯からあがって体を洗う。頭もガシガシ洗って、身も心もすっきりした。

浴衣を着て部屋に戻ると、午後六時前だった。

そろそろ夕飯の時間だ。一階の大広間で摂ることになっているので、すぐに向かった。

襖を開けて大広間に足を踏み入れる。

三十畳はありそうだ。とにかく広い部屋だが、ほかに客の姿はない。それどころか、お膳はひとりぶんしか用意されていなかった。

（あれ……どうなってるんだ？）

胸に疑問が湧きあがる。

旅館のなかがやけに静かだ。まだほかの客をひとりも見ていない。まさか宿泊客は自分ひとりだけなのだろうか。

「あっ、島崎さま、どうぞこちらにお座りください」

背後から元気な声が聞こえた。

絵里が立ちつくしている吾郎の脇をすり抜ける。お盆を手にしており、お膳の脇で正座をした。

「ちょうど、できあがったところです」

慣れた手つきで、料理の載った皿を並べていく。茹でた毛ガニがまるまる一杯といくら丼、ほかにも刺身の盛り合わせなど海鮮づくしだ。

思わず料理の豪華さに引きつけられる。だが、吾郎のなかで疑問が解消したわけではなかった。

「ちょっと、聞きたいことが——」

「どれも今朝仕入れた新鮮なものばかりです。女将さんの目利きは完璧なんですよ」

絵里は吾郎の声を遮って、料理の説明をはじめた。

海鮮はすべて北海道沖で獲(と)れたものだという。しかも今朝、佳恵が市場で仕入れてきたらしい。

「料理人が行くんじゃないのか?」

素朴な疑問が湧きあがる。

こだわりのある料理人が、自ら市場に出向くことはありそうだ。しかし、料理人ではなく女将が行くのは不自然な気がした。

「女将さんはこだわりが強いんです」

絵里はそう言うが、なにかが引っかかる。だが、そのなにかの正体がわからないまま、話題は流れていく。

「ところで、島崎さまは女将さんのお知り合いなんですよね?」

小首を傾(かし)げて絵里が尋ねる。

突然の質問に吾郎が言いよどむと、絵里は身を乗り出すようにして顔をのぞきこんだ。

「お友達なんですか?」

「そういうわけじゃ……昔、ここに泊まったことがあるだけだよ」

嘘は言っていない。ただ、すべてを話していないだけだ。フェラチオしてもらったことは、佳恵と吾郎だけの秘密だ。

「それにしては、ずいぶん親しげだったじゃないですか」

「そ、そうかな？」

惚けてごまかそうとするが、絵里はなにかを勘ぐっている。疑いの眼差しで吾郎の顔を見つめていた。

「もしかして、元カレさんですか？」

「おいおい、そんなわけないだろ」

思わず声が大きくなる。

恋人になれるのなら、佳恵と恋人同士なりたかった。しかし、当時の吾郎は就職活動中の大学生で、佳恵は老舗旅館の若女将だ。告白することなど考えられないほど、立場が違っていた。

（でも、今なら……）

ふと考える。

吾郎は会社員として働いている。あのころのように、就職も決まっていなかった大学生ではない。

（いや、待てよ）

佳恵は老舗旅館の女将だ。

平社員の自分とは釣り合いが取れないのではないか。今回の転勤も、本社にいてもいなくても同じだから吾郎が選ばれたようなものだった。

「急に大きな声、出さないでくださいよ」

絵里が不満げにつぶやき、頬をふくらませる。

老舗旅館の仲居とは思えない態度だが、なぜか絵里だといやな気はしない。愛らしい顔立ちのせいか、許せてしまうから不思議だった。

「そういえば、佳恵さんは？」

吾郎は大広間のなかに視線をめぐらせた。

佳恵の姿は見当たらない。昔話に花を咲かせたいと思っていたのだが、忙しいのだろうか。

「女将さんなら厨房（ちゅうぼう）ですよ」

「厨房？」

「はい、ご飯を作っていますから」

絵里はさらりと答えてから、はっとした顔をする。両手で自分の口を押さえると、急に頭をペコリとさげた。

「用事を思い出しました」

「ちょっと待って、佳恵さんが作ってるの？」

「急いでいるので失礼します」

そう言い残して、絵里はそそくさと大広間から出ていった。失言をごまかそうとしたのは間違いない。

（これ、佳恵さんが……）

吾郎はお膳の上の料理を見つめて首をかしげた。

なにかが、おかしい気がする。本当に佳恵が作ったのだとしたら、料理人はどうしたのだろうか。体調を崩して休んでいるのかもしれない。しかし、それなら臨時で人を雇うのではないか。

（そういえば……）

ほかの従業員を見かけていなかった。

佳恵と絵里以外は、気配すら感じない。十年前はほかにも従業員がいて、なにかしら忙しそうに働いていた。しかし、今回は廊下を歩いていても見かけることはなく、物音すら聞いていなかった。

（なにがあったんだ？）

従業員を減らしたのだろうか。

ほかの客も見かけていない。それほど大きな宿ではないが、年末年始がこれほど静かなのは妙だった。

大広間にひとり残されると、なんとなく心細くなる。とりあえず毛ガニの脚を折り、身をほじりだして口に運んだ。軽く嚙んだ瞬間、ほのかな塩味とカニの風味が一気にひろがった。

（うまいっ、やっぱり北海道のカニは違うな）

心のなかでつぶやいた直後にふと思う。

そもそも、毛ガニを一杯ひとりで食べるのなどはじめてだ。東京で食べたらいくらかかるのだろうか。これも夕飯の料金に入っているのだから、北海道ならではの贅沢だ。

いくら丼も食べてみる。醤油漬けになっている新鮮ないくらが、口のなかでプチプチ弾けるのが心地よい。出汁と醤油の加減も完璧で、うっとりするほど美味だった。

（これも佳恵さんが作ったのか……）

感想を伝えたいが、まだ忙しいのだろうか。

そのとき、廊下から話し声が聞こえた。振り返ると、ちょうど佳恵と見知らぬ女性が大広間に入ってきた。

2

あの女性は宿泊客だろうか。

どうやら、ひとりらしい。黒いダウンコートを着ているので、今、到着したばかりのようだ。時刻はすでに午後六時半になろうとしている。温泉宿を訪れるには少々遅い時間だ。

年齢は佳恵より少し上に見える。

三十代後半といったところか。ブラウン系の髪はゆったりカーブしており、肩にふんわりかかっていた。手にさげている革のボストンバッグには有名ブランドのロゴが見えた。

ちょっといい暮らしをしている人妻といった雰囲気だ。しかし、なにやら伏し目がちで、表情が暗いのが気になった。

「すぐにお食事を用意しますので、こちらでお待ちください」

佳恵がやさしく声をかける。すると、女性は今にも泣き出しそうな顔で、こっくりとうなずいた。

「素泊まりなのに、ご親切にありがとうございます」

今にも消え入りそうな、か細い声だった。

「お気になさらないでください」

佳恵がお膳と座布団を用意して、吾郎の近くに並べる。女性は頭をさげると、座布団の上で正座をした。

（素泊まりか……）

どうやら飛びこみの客らしい。

大晦日の夜に女性がひとりというのは、なにやら意味深な気がする。女性ひとりの飛びこみ客は敬遠されると聞いたことがある。もしかしたら、ほかの宿で断られたのかもしれない。

泊まる場所を探して、温泉街から流れてきたのだろう。そして、たまたま見つけたこの宿に入り、佳恵に温かく迎えられたのではないか。素泊まりのつもりだったが、晩ご飯を用意すると言ってもらえたに違いない。

十年前、吾郎もまったく同じ体験をしている。あのとき佳恵に出会っていなければ、宿を見つけることができずに延々とさ迷うはめになっていた。安く部屋を提供してくれただけではなく、食事まで用意してくれたことをはっきり覚えている。

「少々お待ちください」

佳恵が大広間から出ていくとき、横顔がチラリと見えた。

（やっぱり、心配してるんだな……）

女性客に向ける視線には、やさしさと不安が入りまじっている。きっと放っておけないのだろう。女性客はなにやら思いつめた表情で、いかにもワケありといった雰囲気だ。実際、今もハンカチを取り出して目もとを拭っている。

（参ったな……）

涙を流しているのに、見ないふりをするわけにはいかない。なにかを抱えて、この宿にたどり着いたのではないか。かつての自分と重なるものがある。あのときの吾郎は、友達がいたのに孤独を感じていた。彼女はひとりきりなので、なおさら心細いに違いない。

（今度は俺が誰かを助ける番だ……）

そんな思いが湧きあがる。

佳恵に助けてもらった恩は誰かに返すべきだ。もちろん、佳恵にはあらためて礼を言うつもりだが、今は目の前の彼女が気になった。

「ご旅行ですか？」

できるだけ穏やかな声で語りかける。

ところが、彼女は肩をビクッと震わせた。そして、恐るおそるといった感じで顔をあげる。吾郎を見つめる瞳には、怯えの色がはっきり滲んでいた。

（まずいな……）

明らかに警戒されている。

ヘンなやつだと思われたのかもしれない。いや、もしかしたらナンパと勘違いしたのではないか。しかし、今さら引くに引けなくなり、何食わぬ顔で言葉を紡いだ。

「俺はひとり旅です。年末年始をゆっくり過ごそうと思って」

彼女はなにも答えずに黙りこんでいる。

見ず知らずの男に話しかけられて困惑しているのは間違いない。だが、迷惑に思っているわけではないようだ。顔をそむけることなく、吾郎の目をじっと見つめていた。

「こちらの宿は、はじめてですか?」

問いかけてみるが、やはり返事はない。かといって、視線をそらすわけでもないので、吾郎もやめるわけにはいかなかった。

「俺、この宿に泊まるのは二度目なんです。とはいっても、一度目は十年も前ですけど。まだ大学生でした」

濡れた瞳が気になるが、あえてそのことには触れない。警戒心を解こうと思って、当たり障りのないことを話しつづける。

「卒業旅行なのに、まだ就職が決まってなくて焦ってたんです。そうしたら、若女将が慰めてくれて……あっ、今は女将さんになっています。先ほどの女性ですね。それで俺は救われたんです」

自虐を交えた話で、場の空気を和ませるつもりだった。ところが突然、彼女は嗚咽を漏らした。

「うっ……うぅぅっ」

両手で顔を覆って、肩を小刻みに震わせる。しかも、嗚咽はどんどん大きくなり、ついには号泣してしまう。

「あ、あれ……俺、ヘンなこと言いましたか？」

慌てて問いかけるが、彼女はなにも答えてくれない。ただ顔をうつむかせて泣くばかりだ。

「なんか……すみません」

わけがわからないまま、とにかく謝罪する。

「おひとりで淋しそうに見えたので、つい話しかけてしまいました。なれなれしくして、すみませんでした」

気づかないうちに、気に障ることを言ってしまったのかもしれない。あたふたしていると、彼女は首を小さく左右に振った。

「違うんです……」

ぽつりとつぶやき、再び涙を流す。なにか言おうとするが、嗚咽が溢れて言葉にならない。

「お待たせしました」

ふいに佳恵の声が聞こえた。

振り返ると、お盆を手にした佳恵が大広間に入ってきた。彼女が泣いているのを見て、少し驚いた顔をする。だが、すぐに事情を察したのか、吾郎に向かって軽く会釈をすると、彼女のかたわらで正座をした。

「体調がすぐれませんか？」

どこまでも穏やかな声だ。

佳恵の声には人の心を癒す効果があるのかもしれない。ほどなくして女性の嗚咽は収まり、顔をゆっくりあげた。

「気を使って話しかけてくださったから、うれしくて……」

意外な言葉だった。

吾郎は一方的に話しているだけで、完全に空回りしていると思っていた。ところが、多少なりとも気持ちは伝わっていたらしい。

「吾郎さんは心のやさしい方です」

佳恵はそう言うと、微笑を浮かべて吾郎を見つめる。

「昔、吾郎さんに話を聞いてもらって、元気をもらったことがあります」

「女将さんが、ですか？」

彼女がぽつりとつぶやく。そして、佳恵と吾郎の顔を交互に見やった。

「いいえ、元気をもらったのは俺のほうですよ」

思わず口を挟んだ。

あの夜、吾郎は佳恵に救われた。それは紛れもない事実だ。ところが、佳恵は目を細めて微笑を浮かべた。

「わたしも確かに元気をいただきました。若女将になったばかりで悩んでいたんです。話を聞いてもらったことで楽になりました」

佳恵の言葉が胸に染みわたる。

あのときは、互いの存在が支えになっていた。あらためて考えると、偶然とはいえ不思議な出会いだった。

「誰かに話を聞いてもらうことも、ときには必要かもしれませんね」

佳恵は穏やかな声で彼女に告げる。そして、料理をお膳に並べると、丁寧に頭をさげてから大広間をあとにした。

再び吾郎と彼女のふたりきりになった。

なんとなく話しづらくなり、吾郎は口を閉ざした。彼女もうつむいて黙りこんでいる。きっと、心になにかを抱えこんでいるのだろう。だが、吾郎が一方的に話したところで意味はない。

（俺では、手助けできそうにないな……）

重苦しい沈黙が流れる。

無理やり心を開かせることはできない。吾郎は食事を終えると、そそくさと立ちあがった。

「あの……」

彼女の小さな声が聞こえた。

立ちどまって振り返る。すると、彼女は瞳をうるうる潤ませて、悲痛な表情を浮かべていた。

「少しだけ……少しだけでいいので、お話を聞いてもらえませんか」

懇願するような声だった。

そんなことを言われたら断れない。吾郎は緊張しながら、黙ってうなずくしかなかった。

3

数分後——。
吾郎は彼女の客室にいた。

座卓は壁ぎわに寄せられており、すでに布団が敷いてある。どこに座るか迷った挙げ句、布団の上で彼女と向かい合って腰をおろした。

すでに自己紹介を済ませている。

彼女の名前は二宮奈緒子。三十七歳の人妻で、自宅は函館だという。子宝に恵まれず、夫婦ふたりで暮らしているらしい。夫は会社員で年末年始は五連休にもかかわらず、奈緒子はひとりで登別にやってきた。

なにかあったのは間違いない。

だが、奈緒子は自己紹介をしただけで、詳しいことを語ろうとしない。先ほどからうつむいて、涙をこらえるように黙りこんでいる。

（参ったな……）

吾郎はどんな言葉をかけるべきか迷っていた。

雰囲気から察するに、夫婦喧嘩をして家を飛び出したのではないか。行く当てもなく列車に乗り、気づくと登別にいた。

すでに夕方になっており、慌てて宿を探したのかもしれない。だが、年末年始の休暇だ。おそらく、温泉街の宿は予約でいっぱいだろう。奈緒子は宿を探して、ここにたどり着いたのではないか。

ダウンコートを脱いだ奈緒子は、茶色のフレアスカートにクリーム色のVネックのセーターという服装だ。横座りして顔をうつむかせている姿は、ひどく淋しげで痛々しい。

それでいながら、セーターの胸もとはざっくり開いており、乳房の白い谷間がチラリとのぞいていた。

空気が張りつめるような緊張感が漂うなか、乳房の谷間が妙に艶(なま)めかしく映ってしまう。ついつい視線が吸い寄せられて、慌てて顔をそむけることをくり返していた。

「吾郎さんは……」

ふいに奈緒子が口を開く。うつむかせていた顔をあげて、潤んだ瞳で吾郎を見つめた。

「女将さんと特別な関係なのですか？」

唐突な質問にドキリとする。

あの夜のことはふたりだけの秘密だ。奈緒子が知るはずがない。動揺を懸命に抑えこんで平静を装った。

「俺はただの客です。十年前、たまたま悩みを打ち明けただけで、特別な関係ではありません」

言葉にすることで、胸の奥がチクリと痛んだ。

あの夜、フェラチオをしてもらったが、それだけだった。ふたりの関係が進展することはないどころか、なにもなかったように過ごしてきた。十年間、連絡すら取っていなかった。

（これからだって、なにも……）

期待はしていない。

しかし、心の奥底では佳恵と深い関係になることを望んでいる。今も独身だと知ったことで、落ち着かない気持ちになっていた。

今さらだが、まめに連絡を取っておけばよかったと思う。だが、佳恵は落ちこんでいる吾郎を慰めてくれただけだ。それなのに勘違いして、しつこく連絡をしてくる鬱陶しい男になりたくなかった。

老舗旅館の若女将と就職も決まっていない自分では、釣り合いが取れないのは明白だ。登別と東京という距離も、とてつもなく遠く感じた。

時間が経(た)てば佳恵のことを忘れていくのだろうと思っていた。ところが、札幌に転勤が決まり、まっ先に佳恵の顔が思い浮かんだ。結局のところ、佳恵のことがずっと忘れられなかった。

「当時、若かったふたりは悩みを打ち明けて、慰め合ったのですよね」

「もう十年も前のことです」

「男と女に時間は関係ないと思います。再会した瞬間、心がタイムスリップしたみたいに昔に戻ることもあるでしょう」

奈緒子の言葉には実感がこもっている。もしかしたら、そういう経験があるのだろうか。

「もしかして、奈緒子さんも似たようなことが？」

「じつは、夫が幼なじみなんです。小学六年のときに彼が転校してしまって、それきりでした」

奈緒子がぽつりぽつりと語りはじめる。

二十五歳のとき、奈緒子が働いていたファミリーレストランに夫が客として来店した。偶然の再会で一気に盛りあがり、交際がスタートしたという。そして、七年前に結婚した。

「それなのに……」

奈緒子はなにかを言いかけて口をつぐんだ。

なにかをこらえるように、唇を真一文字に結んで黙りこむ。そして、再び口を開いたときには涙ぐんでいた。

「とにかく、吾郎さんと女将さんは特別な絆（きずな）で結ばれているように見えます。うらやましいです」

奈緒子の目には、そう映ったらしい。

そんなことはないと思うが、反論できる雰囲気ではなかった。奈緒子は今にも泣き出しそうな顔になっているのだ。

「なにがあったのですか？」

思いきって尋ねる。

ところが、奈緒子は首を小さく左右に振った。そして、涙をぽろぽろとこぼしはじめた。

「夫が浮気をして……」

それ以上は言葉にならない。奈緒子は嗚咽を漏らしてうつむいた。

「喧嘩になったのですね」

吾郎がつぶやくと、奈緒子はこっくりうなずく。なんとなく予想していたので、驚きはなかった。

口論になり、奈緒子は衝動的に家を飛び出したのだろう。吾郎は結婚も同棲の経験もないが、想像することはできる。旦那は開き直っており、出ていく奈緒子を引きとめなかったのではないか。

「旦那さんから連絡はないんですか？」

「聞かないでください……」

奈緒子はそう言うと、布団の上を這うようにして吾郎に近づく。そして、肩にもたれかかり、セーターの胸のふくらみを腕に押し当てた。

（な、なんだ？）

突然のことに動揺して、全身を硬直させる。

吾郎は浴衣姿で、胡座をかいた状態だ。奈緒子の手が浴衣の上から太腿に触れて、ねちねちと撫ではじめた。

「わたしのことも、慰めていただけませんか？」

消え入りそうな声だった。

おそらく、男を誘うことに慣れていない。こういうことをするのは、はじめてかもしれない。太腿を撫でる指先が微かに震えていた。

（どうして、こんなことを……）

行きずりの男と関係を持つタイプには見えない。

やけになっているだけなのか、あるいは淋しさから後腐れのなさそうな男に声をかけたのか。もしかしたら、いやなことを忘れたいだけかもしれない。いずれにせよ、あとで後悔することになるのではないか。

そんなことを考えている間にも、奈緒子の手のひらは徐々に股間へと近づいている。浴衣ごしに太腿のつけ根を撫でており、今にもペニスに到達しそうだ。期待がふくらむが、懸命に理性の力で抑えこんでいた。

「い、いけません。こんなこと……」

「吾郎さんが抱いてくれないと、わたし、どうなってしまうか……この世から消えてしまうかもしれません」

奈緒子は真剣な眼差しで物騒なことをつぶやく。そして、ついには浴衣の上からボクサーブリーフごしにペニスを撫ではじめた。

「ううっ、ちょ、ちょっと……」

甘い刺激がひろがり、呻き声が漏れてしまう。

頭ではいけないと思うが、ペニスは素直に反応する。瞬く間に頭をもたげて硬くなり、そこに彼女の指が布地の上からやさしく巻きついた。

「吾郎さんも、こんなに硬くなってるじゃないですか」

「そ、それは……」

「お願いします。ひとりでは不安で耐えられないんです」

奈緒子はペニスを握ったまま懇願する。

濡れた瞳で見つめられると突き放せない。しかし、相手は人妻だ。誘われたからといって、関係を持つのはまずい気がする。

「どうか一度だけ……お願いします」

奈緒子は決して引きさがろうとしない。必死に頭をさげて懇願している。どうして、そこまでして吾郎を誘うのだろうか。

(もしかして、旦那を許すために……)

ふとそんな気がした。

夫を許したいが、このままでは気持ちが収まらない。だから、自分も浮気をすることで、意趣返しをするつもりではないか。対等な立場になったうえで、夫とやり直すつもりなのかもしれない。

(そういうことなら……)

できる範囲で協力したいと思う。

十年前、佳恵に助けてもらった宿で、助けを求めている人に出会った。これもなにかの縁だ。

「わかりました。微力ながらご協力させていただきます」

吾郎は意を決すると、力強くうなずいた。

その一方で、興奮しているのも事実だ。人妻とセックスするチャンスなどめったにない。この状況で興奮するなというほうが無理な話だ。そもそも興奮しなければ、奈緒子に協力できない。

（これは人助けなんだ……）

吾郎は自分を正当化するため、心のなかで何度もくり返した。

4

「で、では……」

緊張しながら奈緒子の肩を抱くと、顔をゆっくり近づける。

奈緒子は覚悟ができているのか、顎をほんの少しあげて口づけを待つ仕草だ。

慎重に唇を重ねると、蕩（とろ）けるような柔らかさが伝わった。

「ンっ……」

奈緒子は睫毛を静かに閉じて、微かに鼻を鳴らした。

覚悟はできていても緊張しているのか、唇が震えている。やはり夫以外の男とキスをするのは、背徳感があるのだろうか。それでも、誘いをかけるように、自ら唇をほんの少し開いた。

（い、いいんだよな……）

吾郎のほうが躊躇している。

恐るおそる舌を差し入れると、彼女の口のなかに這わせていく。舌先で歯茎をなぞり、頬の内側をねっとり舐めまわす。さらに奥へと忍ばせれば、奈緒子のほうから遠慮がちに舌をからませた。

「はンンっ」

色っぽい鼻声を漏らして、舌の粘膜を擦りつける。

奈緒子の両手は、いつしか吾郎の頬に触れていた。愛おしげに撫でながら、舌を深くからみつかせる。唾液を吸いあげられたと思ったら、奈緒子は躊躇することなく飲みくだした。

「あふっ……あふンっ」

眉をせつなげにゆがめて、腰を微かにくねらせる。もしかしたら、奈緒子も欲情しているのかもしれない。

（ああっ、奈緒子さん……）

人妻の濃厚なディープキスに流されて、吾郎も懸命に舌をうねらせる。

柔らかい舌を吸いあげては、甘い唾液をすすり飲む。彼女の味を確認することで、ペニスはますます硬くなった。

じつは、女性とキスをするのは久しぶりだ。

就職してから交際した恋人はいたが、ずいぶん前に破局した。そのあとは、ろくに浮いた話もなく何年も経ってしまった。

そんな状態なので、キスだけでも異常なほど興奮してしまう。ペニスはガチガチに硬くなり、先端から我慢汁が大量に溢れている。今にもボクサーブリーフを突き破りそうになっていた。

「吾郎さん……」

奈緒子は唇を離すと、ねだるような瞳を向ける。

キスだけでは我慢できなくなったらしい。しかし、吾郎は興奮しているが、なかなか積極的になれずにいた。久しぶりというのもあるが、やはり人妻だと思うと遠慮してしまう。

「まじめなんですね」

奈緒子は気を悪くした様子もなくつぶやくと、浴衣の裾から手を入れる。そして太腿を直に撫でたと思ったら、ボクサーブリーフの上からペニスに触れた。

「うっ……」

「硬いです……ああっ、すごく硬い」

まるで譫言のように奈緒子がつぶやく。

ディープキスを交わしたせいか、瞳がトロンと潤んでおり、息づかいがハアハアと荒くなっている。先ほどとは別人のような艶めかしい表情だ。半開きになった唇からは、絶えず熱い吐息が漏れていた。

「久しぶりなんです……夫は見向きもしてくれないから……」

奈緒子が淋しげにつぶやく。

夫は浮気相手に夢中らしい。夫婦の夜の生活は、半年ほど前からぱったり途絶えているという。欲求不満がたまっているのか、ペニスを撫でまわしたことで呼吸をさらに乱していた。

「横になってください」

奈緒子に肩を押されて、吾郎は布団の上で仰向けになる。

どうやら、奈緒子は完全にスイッチが入ったらしい。浴衣の帯をほどいて前をはだけさせると、ボクサーブリーフをするするとおろしていく。そして、あっさりつま先から抜き取った。

「もう、こんなに……」

奈緒子は横座りをした状態で、露出したペニスを見つめて息を呑んだ。興奮しているのか、瞳はますます潤んでいる。腕をクロスさせてセーターの裾を摘まむと、ゆっくりまくりあげて頭から抜き去った。白いキャミソールが露になり、頬がほのかな桜色に染まる。

羞恥に身を灼きながら、スカートもおろしていく。さらにキャミソールも脱ぐと、身につけているのは白いブラジャーとパンティだけになった。

「恥ずかしい……」

そう言いつつ、両手を背後にまわしてブラジャーのホックをはずす。とたんにカップを押しのけて、大きな乳房がプルルンッとまろび出た。

（で、でかい……）

吾郎は思わず腹のなかで唸った。

双(ふた)つのたっぷりした乳肉は、下膨れした釣鐘形だ。奈緒子が恥じらって身をよじるたび、タプタプと柔らかく波打つ。魅惑的な曲線を描く乳房の頂点では、濃い紅色の乳首が揺れている。まだ触れてもいないのに、彼女の興奮度合いを示すようにピンッと屹立(きつりつ)していた。

「あんまり、見ないでください」

奈緒子は耳まで赤く染めあげて、パンティをじりじりおろしていく。恥丘が少しずつ露になり、黒々とした陰毛がふわっと溢れ出した。

陰毛はきれいな楕円(だえん)形に整えられている。夫は見てくれないのに、どんな気持ちで手入れをしていたのだろうか。そんな彼女の心境を想像すると憐(あわ)れでならなかった。

「吾郎さん……」

奈緒子は脚の間に入りこんで正座をすると、前屈(まえかが)みになってペニスの両脇に手を添えた。

「口で愛してもいいですか？」

「な、奈緒子さん——ううッ」

吾郎の声は途中から快楽の呻きに変わってしまう。

奈緒子は顔を股間に寄せたかと思うと、舌先で裏スジを舐めあげたのだ。根もとから先端に向かって、舌をねろねろと這わせて唾液を塗りつけた。

「そ、そんなこと……」

「気持ちいいですか？」

上目遣いにささやきながら、舌先をカリの裏側に潜りこませる。敏感な箇所をくすぐられて、腰が震えるほどの快感が走り抜けた。

「くううッ」

先走り液がどっと溢れ出す。

ほんの少し舌を這わされただけで、早くも射精欲が芽生えていた。ペニスはますます硬くなり、亀頭はこれ以上ないほど張りつめた。

「パンパンになってますよ」

奈緒子はうれしそうに言うと、ペニスの先端をぱっくり咥えこむ。ついに夫以外のペニスを口に含んだのだ。唇を太幹に密着させて、我慢汁にまみれた亀頭に舌をヌルヌルと這いまわらせた。

（ま、まさか、こんなことが……）

先ほど出会ったばかりの女性が、己のペニスを咥えている。

しかも、奈緒子は人妻だ。股間に視線を向ければ、嬉々とした表情でフェラチオしているのだ。その光景を見ているだけで、頭のなかが燃えあがるような興奮が押し寄せた。

「あふンンっ」

奈緒子が甘い声を漏らして、口のなかで亀頭を転がす。まるで飴玉のように舌でねちっこくしゃぶりまわした。

「ううウッ、そ、それは……」

たまらず尻がシーツから浮きあがる。危うく射精しそうになり、慌てて全身の筋肉に力をこめた。

「こ、これ以上されたら……」

懸命に訴えるが、奈緒子はペニスを咥えたまま楽しげに目を細める。そして、首をゆったり振りはじめた。

「あふっ……はむっ……むふンっ」

柔らかい唇が、太幹の表面をやさしく滑る。

唾液と我慢汁が潤滑油となることで、自分の手でしごくのとは比べものにならない快感が生じた。

「ううぅッ、き、気持ちいいっ」

たまらず訴えると、奈緒子はさらに首を振るスピードをあげる。唇がヌプヌプ滑るたび、我慢汁がどんどん溢れた。

「ンっ……ンっ……」

とっさに両手の爪を自分の太腿に突き立てる。

「ちょ、ちょっと、も、もうっ……ううぅッ」

そうやって痛みを与えることで、なんとか快感をごまかす。しかし、奈緒子はさらに激しく首を振る。ジュプッ、ジュプッという湿った音が響きわたり、聴覚からも射精欲を煽（あお）られた。

「そ、それ以上は……ううぅッ、で、出ちゃいますっ」

暴発寸前まで追いこまれて、必死に声をあげる。

ところが、奈緒子はペニスを根もとまで呑みこむと、思いきりジュブブッと吸いはじめた。

「で、出ちゃうっ、おおおッ、出る出るっ、ぬおおおおおおおッ！」

追いこまれた状態で吸茎されたら、ひとたまりもない。吾郎は雄叫（おたけ）びをあげながら、思いきり欲望を解き放った。奈緒子の口のなかでペニスが跳ねまわり、先端から熱い精液が噴き出した。

「おおおッ……おおおおッ」

頭のなかがまっ白になるほどの快感が突き抜ける。

吾郎は無意識のうちに股間を持ちあげて、愉悦にまみれながらザーメンを放出した。奈緒子は口のなかに注ぎこまれる側から、喉をコクコク鳴らして熱い粘液を飲みくだす。その間もペニスを吸いつづけることで、吾郎は意識が飛びそうなほどの愉悦に溺れていった。

5

「いっぱい出ましたね」

ペニスの痙攣が治まると、奈緒子はようやく口から吐き出した。

大量に射精したが、ほっそりした指が竿の根もとに巻きついて、やさしくしごきつづけている。ひと休みする時間は与えられない。萎えることは許されず、甘い刺激を延々と送りこまれていた。

「吾郎さんのこれ……大きくて素敵です」

奈緒子はうっとりした表情で告げると、上半身をゆっくり起こして、吾郎の股間にまたがった。

（おおっ……）

脚をあげた瞬間、思わず両目をカッと見開いた。

ほんの一瞬だったが、鮮やかな紅色の陰唇がはっきり見えた。ペニスをしゃぶったことで興奮したに違いない。大量の華蜜でぐっしょり濡れており、ヌラヌラと淫らな光を放っていた。

「わたし、もう我慢できないんです」

両膝をシーツにつけた騎乗位の体勢になっている。

奈緒子は右手で竿をつかみ、亀頭を陰唇に押し当てた。そして、なじませるように前後に動かすと、ペニスの先端を膣口（ちつこう）に誘導する。軽く触れただけで、ヌプッと沈みこむ感触があった。

「な、奈緒子さん……ほ、本当に……」

今さらながら、まずいのではという思いが湧きあがる。

それなのに、ペニスは硬く勃起していた。彼女が人妻だということを意識すると、なおさら興奮が高まってしまう。頭ではいけないと思いつつ、挿入したくてたまらなくなっていた。

「吾郎さんが欲しいんです……はあンンっ」

奈緒子が腰をゆっくり落としはじめる。

亀頭が二枚の陰唇を押し開き、巻きこみながら膣のなかに埋まっていく。内側にたまっていた華蜜がジュブッと溢れて、結合部分がぐっしょり濡れる。ペニスがヌルヌルと滑り、あっという間に根もとまで埋没した。

「ああああッ、お、大きいっ」

「ううッ、す、すごい……」

熱い膣粘膜に包まれて、いきなり快感が湧きあがる。

無数の襞が竿と亀頭にからみつき、ウネウネと這いまわるのもたまらない。膣口が猛烈に締まり、太幹の根もとを絞りあげた。

「くおおおッ」

思わず奥歯を食いしばる。

先ほど射精したばかりなので耐えられたが、それがなければ暴発していたのではないか。そう思うほどに快感が一気にふくらんだ。

「こんなに奥まで……あンンっ」

奈緒子は右手を自分の臍の下にあてがうと、潤んだ瞳で吾郎を見つめる。

どうやら、亀頭の先端がそこまで届いているらしい。そして、ペニスを根もとまで呑みこんだ状態で、腰をねちっこくまわしはじめた。

「奥がグリグリって……はああンっ」

「そ、そんなに動いたら……うううッ」

奈緒子のせつなげな声と吾郎の快楽の呻きが交錯する。

膣のなかでペニスが揉みくちゃにされて、我慢汁がドクドクと溢れ出す。こみあげる快感に耐えようと、両手でシーツを強くつかんだ。

「すごいです。吾郎さんの大きいから……あああッ」

奈緒子の腰の動きが徐々に速くなる。

膣壁とカリが擦れるような円運動だ。ピストンの強烈な刺激とは異なり、快感の波は比較的小さい。まるで焦らされているようで、たまらなくなって股間を突きあげた。

「な、奈緒子さんっ」

「はあああッ、ダ、ダメですっ」

艶めかしい喘ぎ声がほとばしり、女体がビクンッと仰け反った。

「あンっ、も、もう我慢できない……」

奈緒子は両膝を立てると、腰を上下に振りはじめる。吾郎の腹に手をついて、いきなり全力のピストンを開始した。

「おおおッ……おおおおッ」

媚肉（びにく）でペニスをグイグイ擦られる。強烈な快感が押し寄せて、呻き声を抑えられない。上下動に移行したことで、射精欲が猛烈に煽られる。奈緒子の動きに合わせて、吾郎も無意識のうちに股間を上下に弾ませた。

「ああッ……ああッ……い、いいですっ」

奈緒子の喘ぎ声も高まり、腰の動きがさらに加速する。

ふたりが腰を振ることで、快感が瞬く間にふくれあがった。ペニスが高速で出入りをくり返し、張り出したカリが膣壁を擦りまくる。一往復ごとに華蜜がかき出されて、股間はグショグショになっていた。

「そ、そんなに激しく動いたら……ううッ」

すぐに達してしまいそうだ。尻の筋肉に力をこめて、なんとか射精欲を抑えこむ。しかし、腰の動きをとめることはできず、股間を連続で跳ねあげて、ペニスを勢いよく突きこんだ。

「ひあああッ、お、奥っ、奥に当たってますっ」

　奈緒子も甲高い喘ぎ声を振りまき、腰の動きを速くする。ヒップをリズミカルに打ちおろして、そそり勃った肉柱を膣の奥まで迎え入れた。

「おおおおッ、も、もうっ、くおおおおッ」

　これ以上は耐えられそうにない。快感の大波が轟音を響かせながら、勢いよく押し寄せる。

「はあああッ、い、いいっ、気持ちいいですっ」

　どうやら奈緒子も限界らしい。唇の端から透明な涎を垂らして喘いでいる。膣がキュウッと締まり、ペニスを思いきり締めつけた。

「す、すごいっ、おおおおおッ」

　もう射精することしか考えられない。真下から股間をガンガン突きあげて、とにかくピストンをくり返す。己の肉棒で膣のなかをかきまわせば、快楽がどんどん大きくなった。

「は、激しいですっ、あああああッ」

　奈緒子の腰の振りかたも、ますます大胆になっていく。勢いよく尻を打ちおろしては、長大なペニスを何度も出し入れする。同時に膣が収縮することで、強烈な愉悦を生み出した。

「も、もうっ、もうダメですっ」

「ああァ、わ、わたしも、吾郎さん、来てくださいっ」

奈緒子が喘ぎまじりに懇願する。

その声がきっかけとなり、ついに射精欲が限界を突破した。目の前がまっ赤に染まったと思ったら、凄まじい快感が全身を突き抜ける。

「くおおッ、で、出るっ、出る出るっ、おおおおおおおッ！」

次の瞬間、吾郎は雄叫びとともに、ブリッジする勢いで股間を跳ねあげた。膣の奥深くに埋まったペニスが暴れまわり、怒濤のごとく精液を放出する。

「はあああァ、い、いいっ、イクッ、イクイクうううッ！」

熱い粘液を注がれた衝撃で、奈緒子が顎を跳ねあげながら絶叫した。

女体を感電したように震わせて、瞬く間に絶頂へと駆けあがる。女体が仰け反り、大きな乳房がタプタプと波打った。膣が猛烈に収縮して、根もとまで呑みこんだペニスを絞りあげた。

「あああァ、いいっ、はあああああッ」

奈緒子は自分の体重をかけて、股間をググッと押しつける。

亀頭が膣道の行きどまりに到達して、強く圧迫されるのがわかった。それでも射精がとまることはない。奈緒子は噴きあがるザーメンを膣奥で感じながら、艶めかしいよがり声をあげつづけた。

「おおおおッ、ぬおおおおおおッ」

もう意味のある言葉を発する余裕はない。

目も眩(くら)むような快楽のなか、吾郎は獣のように唸りつづける。大量のザーメンが、敏感な尿道口を擦りながら噴き出すのが気持ちいい。股間を突きあげた状態のまま、最後の一滴まで放出した。

第三章　仲居さんのお願い

1

翌朝、吾郎は自分の客室で目を覚ました。

正月だと思うと、なにか特別な朝という感じがする。なにより、昨夜は奈緒子と激しく燃えあがったのだ。今朝の空気が違って感じるのは、そのせいもあるかもしれない。

（それにしても、すごかったな）

これまでにないほどの快楽を味わった。

腰を激しく振ったため、全身に疲れが残っている。人妻だと思うと背徳感がこみあげて、異常なほど興奮した。

（まさか、あんなことになるとは……）

布団の上で身体（からだ）を起こすと、重い腰をさすって苦笑を漏らす。

昨夜は遅くなって部屋に戻り、横たわると同時に眠りに落ちた。そして、気づくと朝になっていたのだ。

（でも……）

佳恵のことを考えると、胸の奥がチクリと痛んだ。

つき合っているわけではないが、心に想（おも）っている人がいながら、ほかの女性と関係を持ったのだ。なんとなく浮気をしたような気分になってしまう。罪悪感と自己嫌悪で気持ちが落ちこんだ。

（考えすぎだよ。佳恵さんは俺のことなんて相手にしてないさ……）

心のなかで自分に言い聞かせる。

そうとでも思わなければ、佳恵に合わせる顔がない。

今日は佳恵と話をしたいと思っていた。明日の朝になったら札幌に帰らなければならない。落ちこんだままでは盛りあがらないので、今のうちに気持ちを立て直しておきたかった。

とりあえず、顔を洗ってさっぱりする。そして、朝食を摂るため、部屋を出て大広間に向かった。

宿のなかは相変わらず静かだ。

不思議に思いながら一階におりて、廊下を歩いていく。大広間の入口に到着すると、すぐ異変に気がついた。

大広間にはお膳がふたつ用意してあり、その片方の前に奈緒子がいる。浴衣姿で正座をして、すすり泣きを漏らしていた。

（なんだ？）

思わず足をとめる。

かたわらには佳恵がいた。着物の上に割烹着をつけているのは、食事の支度をしていたからだろうか。黒髪をきっちり結いあげているため、美しい横顔がはっきり見える。しかし、佳恵は心配そうな表情を浮かべて、奈緒子の顔をのぞきこんでいた。

（どうしたんだ？）

吾郎は大広間に入るのを躊躇して立ちつくす。正月の挨拶をしようと思っていたが、それどころではない。いったい、なにがあったのだろうか。

（もしかして……）

ふといやな予感がこみあげる。

奈緒子は昨夜のことを後悔して泣いているのではないか。そして、佳恵が心配して声をかけたのかもしれない。もし奈緒子が昨夜の出来事を打ち明けたら、佳恵は吾郎のことをどう思うだろうか。

（ああっ、最悪だ……）

誘ったのは奈緒子だが、それを受け入れたのは事実だ。

人妻だとわかっていたのに、欲望に流されてセックスしてしまった。人助けだと自分に言い聞かせて、思いきり腰を振りまくったのだ。佳恵に問いつめられたら弁解のしようがなかった。

（まずい……）

額に冷や汗が滲んだ。

今のところ、ふたりは吾郎がいることに気づいていない。とりあえず客室に戻ったほうがいいだろう。

足音を立てないように気をつけながら、そろそろとあとずさりをする。そのとき、尻がなにかにぶつかった。ドキッとして思わず肩をすくめる。そして、恐るおそる振り返った。

「なにやってるんですか？」

背後には仲居の絵里が立っていた。

首をかしげて、不思議そうに尋ねる。その声が思いのほか大きくて、吾郎は慌てて口の前に指を立てた。

「シーッ、静かに」

小声で告げるが、絵里はきょとんとした顔をしている。そして、吾郎の肩ごしに大広間を見やった。

「もしかして、女将さんたちのことですか」

絵里の声はまたしても大きい。吾郎は顔をしかめて、うんうんと何度もうなずいた。

「とっくにバレてますよ」

「えっ？」

絵里の言葉を受けて、大広間に視線を向ける。すると、佳恵と奈緒子がこちらをじっと見つめていた。

「なんで、こそこそしてるんですか？」

「い、いや……ほら、なんか深刻そうな雰囲気だから、邪魔をしちゃいけないと思ってさ」

懸命に取り繕うが、頰の筋肉がひきつってしまう。

「べ、別に、やましいことがあるわけじゃないよ。女同士の話もあるかもしれないだろ」

しゃべればしゃべるほど、言いわけがましくなってしまう。しかし、絵里はさほど気にしている様子はなかった。

「奈緒子さん、なにか相談したいことがあるみたいですよ」

「そ、相談だって？」

思わず声が大きくなる。

相談と聞いて、軽い目眩に襲われた。いやな予感が的中している気がしてならなかった。

「なにか悩みがあるみたいです。島崎さまも、いっしょに聞いてあげたらどうですか」

「お、俺はやめとくよ。頼まれたわけじゃないし……」

慌てて拒否して、部屋に戻ろうとする。

ところが、絵里はすかさず吾郎の前に立ちふさがった。そして、なにやら頬をふくらませる。

「冷たいです」

「い、いや、だって……赤の他人の俺が出しゃばるのは、やっぱり違うんじゃないかな」

懸命に言いわけを並べ立てる。

奈緒子が昨夜のことを佳恵に相談していたとしたら、自分がのこのこ出ていくのは最悪だ。なんとかして部屋に戻りたかった。

「昔、女将さんの悩みを聞いてあげたんですよね。女将さん、すごく助かったって言ってました」

絵里の口から意外な言葉が飛び出した。

考えてみれば、絵里は昨日から興味津々だった。おそらく、佳恵に吾郎との関係を尋ねたのだろう。そして、佳恵は十年前のことをかいつまんで教えたに違いない。

佳恵の助けになったのかどうかはわからないが、互いに悩みを打ち明け合ったのは事実だ。絵里はその話を聞いているので、なおさら奈緒子の相談に乗らないことが不満なのだろう。

「女将さんが褒めてましたよ。すごくやさしい人だって。それなのに、どうして奈緒子さんの相談には乗ってあげないんですか」

絵里はまだ頬をふくらませているが、吾郎の意識は別のところに向いていた。

（佳恵さんが、俺のことを……）

ふいに熱い気持ちがこみあげる。

吾郎がいないところで話したのだから、お世辞を言うことはないだろう。絵里に語ったことは、きっと佳恵の本音に違いなかった。

「奈緒子さんは旦那さんのことで悩んでるのに……」

絵里がぽつりとつぶやいた。

どうやら、奈緒子の相談というのは旦那のことらしい。てっきり、吾郎とセックスしたことだと思っていたので、内心ほっと胸を撫（な）でおろした。

（そうか、それなら……）

逃げる必要はない。

大広間に視線を向ければ、まだ佳恵がこちらを見ている。ここで奈緒子の相談に乗れば、さらに佳恵の印象がよくなるに違いない。そんな邪（よこしま）な気持ちが湧きあがり、吾郎は力強くうなずいた。

「わかったよ」

「やっぱり、女将さんの目に間違いはないですね」

絵里の顔がぱっと明るくなる。

よほど佳恵のことを慕っているらしい。吾郎がその気になったことで、あっという間に機嫌が戻った。

「じゃあ、行きましょう」

絵里は吾郎の手をつかむと、大広間に入っていく。そして、佳恵の隣に並んで正座をした。

「島崎さまもお話を聞いてくれるそうです」

絵里がうれしそうな声で佳恵に報告する。すると、佳恵は真剣な表情で絵里を見つめ返した。

「絵里ちゃん、無理を言ったんじゃないの?」

「ちょっと、お願いはしましたけど……」

絵里はばつが悪そうに口ごもる。

どうやら、佳恵は絵里の性格を知りつくしているらしい。吾郎を強引に連れてきたことを見抜いていた。

「俺でよければお手伝いさせてください」

吾郎は横から口を挟んだ。

気に入られたい一心だったが、佳恵は困惑の表情を浮かべる。そして、あらたまった様子で頭をさげた。

「お寛ぎなのに、申しわけないです」

「大丈夫です。でも、俺がいると話しにくいなら、部屋に戻ります」

吾郎は慎重に提案する。

奈緒子の夫は浮気をしていたという。おそらく、相談はそのことだろう。デリケートな話になるのは間違いない。内容によっては、女性同士のほうが話しやすいのではないか。

「いてください……男の人にも聞いてもらいたいです」

奈緒子はうつむかせていた顔をあげてつぶやいた。

潤んだ瞳で吾郎を見つめる。男の意見を聞きたいのかもしれない。それならばと、吾郎はうなずいて姿勢を正した。

「お話、聞かせてもらえますか」

佳恵が穏やかな声で語りかける。

決して急かすことはない。あとは奈緒子が自分から口を開くのを静かに待ちつづける。佳恵にならって、吾郎も絵里も黙っていた。

「夫が浮気をして……それで、家を出たんです」

奈緒子がぽつりぽつりと語りはじめる。その声は今にも消え入りそうなほど小さかった。

昨夜、吾郎が聞いた話と同じだ。

夫の浮気が原因で口論となり、衝動的に家を飛び出した。それほどめずらしい話ではないと思う。これで破局したわけではない。なにかしら対処の方法があるのではないか。

「わたし、どうしたらいいのか……」

奈緒子はまたしてもうつむいて涙を流しはじめた。

もしかしたら、今後のことを決めかねているのかもしれない。

昨夜、奈緒子は吾郎と身体の関係を持ったが、それでも夫の浮気を許せないでいるようだ。だが、別れる気もないらしい。だからこそ、悩み苦しんでいるのではないか。

「旦那さんから連絡はあったのですか？」

佳恵がやさしく尋ねる。

奈緒子は泣きじゃくるばかりだ。このままでは、話が進まないと判断したのだろう。すると、奈緒子は首を小さく左右に振った。

「自分から連絡はしたの？」

「もう……ダメなんです」

うつむいたまま、ぼそぼそと答える。奈緒子はすべてをあきらめてしまったように、肩をがっくりと落とした。

この先どうするつもりなのだろうか。

元サヤに収まりたいのか、それとも別れたいのか。いずれにせよ、このままというわけにはいかない。夫と連絡を取るなり直接会うなりして、話し合うことが必要だ。

「ここに泊まっていることだけでも、伝えたほうがいいんじゃないかしら。心配しているかもしれないでしょう」

佳恵がそう言うと、奈緒子はほんの一瞬だけ泣きやんで顔をあげる。

「無理なんです。夫は、もう……」

途中まで言いかけて口を閉ざしてしまう。

奈緒子は両手で顔を覆って、わっと泣き出した。がらんとした大広間に奈緒子の号泣が響きわたった。

「旦那さん……どうかされたのですか?」

佳恵が恐るおそるといった感じで尋ねる。

だが、奈緒子はそれ以上、なにも語ろうとしない。ただ泣くばかりだ。その姿があまりにも悲痛で、異常事態が起きたことを連想させた。

——夫は、もう……。

奈緒子はなにを言いかけたのだろうか。

その先につづく言葉を想像すると、悪いことしか頭に浮かばない。

佳恵も同じ考えなのだろう。困惑の表情を浮かべて、吾郎と絵里を交互に見やる。三人は顔を見合わせると思わず首をかしげた。

奈緒子の悲しみかたは尋常ではない。

なにやら雲行きが怪しくなっている。よくわからないが、ただの夫婦喧嘩ではなさそうだ。佳恵も絵里も黙りこんでいる。これ以上、追及してはいけないような、重苦しい空気が漂いはじめていた。

ない。
　吾郎は泣きじゃくる奈緒子に視線を向ける。
　いやな予感がするが、ここで話を終わらせてしまったら、なんの解決にもなら
ない。
「なにがあったんですか？」
　吾郎は思いきって尋ねた。
「じつは……」
　しばらく泣きつづけてから、奈緒子はようやく語りはじめる。子供のようにし
ゃくりあげているが、なんとか聞き取ることはできた。
「家を飛び出すときに、夫を……っ、突き飛ばしてしまって……夫は倒れて、そ
のまま……」
　嗚咽がこみあげて言葉が途切れてしまう。
　佳恵も絵里も頬をひきつらせて固まっている。吾郎も言葉を失うが、勇気を振
り絞って再び口を開いた。
「旦那さんが倒れて、そのとき怪我をされたのですか？」
「あ、頭から血を流して……それきり、動かなくなって……わ、わたしが、この

手で夫を……」

それ以上は言葉にならない。奈緒子は両手で自分の口を覆うと、大粒の涙をポロポロとこぼした。

（し、死んだってことか？）

吾郎も思わず黙りこんでしまう。

打ちどころが悪かったのだろうか。話を聞くかぎり故意ではないが、夫が頭を負傷したのは事実だ。

（ちょっと待ってくれよ……）

とんでもない話になってきた。

今日はなんとか佳恵と話す時間を作ろうと思っていたが、それどころではなくなってしまった。涙を流す奈緒子を前にして、吾郎はどうすればいいのかわからなくなっていた。

「手当はしていないのですね」

それまで黙っていた佳恵が口を開いた。

「怖くなって、逃げて……夫はきっと、もう……わたし、夫を殺してしまったんです」

奈緒子の顔から血の気が引いて、紙のようにまっ白になっている。唇も青白くなり、わなわなと震えていた。

気が動転して、家を飛び出したという。行く当てもなく電車に乗り、いつの間にか登別にいたらしい。そして、人目を避けるため温泉街を素通りして、山奥のこの宿にたどり着いたようだ。

「まだ亡くなったと決まったわけではありません。奈緒子さんから連絡をしてみたらどうですか？」

佳恵が穏やかな声で提案する。そして、右手で奈緒子の震える背中をやさしく撫でた。

「こ、怖いんです……わたし、どうしたらいいのか……」

「大丈夫ですよ。わたしといっしょに考えましょう」

佳恵はそう言って、まるで包みこむような微笑を浮かべる。

先ほどは動じていたが、腹が決まったらしい。奈緒子の肩に手をまわすと、そっと抱き寄せた。

「なんでも言ってください。話ならわたしが聞きます」

「お、女将さん……」

奈緒子は佳恵の胸に顔を埋めて涙を流す。

不安でたまらなかったのだろう。まるで母親に縋る子供のように、大声で泣きはじめた。

「島崎さま、ここは女将さんにまかせましょう」

絵里が小声で語りかけてくる。

確かに、そのほうがよさそうだ。事態が事態だけに、警察に連絡することもあるかもしれない。女将である佳恵が話を聞くべきだと思った。

2

吾郎は絵里といっしょに大広間をあとにした。

「お食事は、お部屋で摂りますか？」

絵里に言われて思い出す。

そういえば、まだ朝食を摂っていなかった。予想外の出来事に遭遇して、すっかり忘れていた。意識することで、急激に腹が減ってきた。

「それじゃあ、お願いしようかな」

吾郎はそう言うと部屋に戻った。

敷きっぱなしの布団の上に座ると、テレビをつけて念のためニュースをチェックする。しかし、男が頭を打って亡くなったという報道はない。そのほかにも奈緒子に関連すると思われる事件はとくになかった。

（だからといって、安心はできないな……）

思わず眉間に皺を寄せる。

本当に亡くなっているのなら、遺体が発見されていないだけかもしれない。旦那の仕事は知らないが、会社員なら今は年末年始の休暇中ではないか。それなら無断欠勤にならないので、なおさら発見は遅れるだろう。

佳恵の言うとおり、亡くなったと決まったわけではない。

しかし、旦那から連絡がないのは気になる。妻が家出をしたのなら、電話くらいかけるのではないか。

「朝食をお持ちしました」

ノックの音がして、絵里の声が聞こえた。

「どうぞ」

「失礼いたします」

声をかけると、お盆を手にした絵里が入ってくる。

「あけましておめでとうございます」

あらたまった様子で挨拶されて思い出す。

「正月だったね。あけましておめでとうございます」

吾郎も姿勢を正して挨拶を返した。

朝食はぶりの照り焼き、蒸し海老、昆布巻き、雑煮、それに伊達巻きに黒豆、栗きんとんといった正月料理だ。絵里が座卓に並べてくれたので、吾郎はさっそく食べはじめる。すると、絵里は隣でちょこんと正座をした。

「見られていると、落ち着かないな」

「ここに居させてください。今は大広間に近づけないから……」

絵里はそう言って視線を落とす。

今朝の絵里は、やけにおとなしい。奈緒子の衝撃的な告白を聞いて、怖(お)じ気(け)づいたのだろう。まだ二十歳なので無理もなかった。

「そうだね。あとは佳恵さんが対応するだろうから、絵里ちゃんはしばらくここに居たらいいよ」

できるだけやさしく声をかけると、絵里は驚いた顔で吾郎を見た。

「おいおい。俺だって、たまには気を使うよ」

「そうじゃなくて、今、わたしのこと絵里ちゃんって呼びましたよね」

「佳恵さんが、そう呼んでいたから……なれなれしかったかな」

いきなり距離を詰めすぎたかもしれない。絵里は気さくな性格なので、つい軽い気持ちで呼んでしまった。

「いやなら、次からは名字で――」

「いやじゃないです」

絵里はきっぱり言うと、うれしそうな笑みを浮かべる。

「女将さんのことは名前で呼んでるじゃないですか。わたしも名前で呼んでもらいたいです」

愛らしい顔で見つめられて照れくさくなる。咳払い（せきばら）いをしてごまかすと、意識してまじめな顔を作った。

「そういえば、佳恵さんと絵里ちゃんしか見かけないけど、ほかの人たちはどうしたの？」

昨日から気になっていたことを尋ねる。

佳恵の両親は亡くなったと聞いているが、仲居がひとりしかいないのは不自然だ。料理も佳恵が作っているので、料理人がいないのではないか。旅館のなかはやけに静かで、従業員が減っているのは間違いない。

「みんな辞めてしまったんです」

絵里が言いにくそうにつぶやいた。

「みんなって、全員じゃないよね？」

まさかと思って尋ねると、絵里は淋しげな表情を浮かべて、首をゆるゆると左右に振った。

「女将さんとわたし以外、全員です」

「えっ……」

驚きのあまり絶句してしまう。

女将と仲居ひとりだけでは、どうにもならないのではないか。いったい、なにがあったというのだろうか。

「どうして、そんなことに……」

「わたしも詳しいことはわからないんですけど、給料が払えないみたいで……それで、みんな辞めちゃったんです」

絵里が内緒話をするように小声でつぶやいた。

給料を払えないということは、おそらく経営が厳しいのではないか。老舗旅館にいったいなにがあったというのだろうか。

「お客さん、入ってないの？」

「予約の問い合わせはあるんですけど、ふたりしかいないから今までどおりにはいかなくて、お断りすることが多かったんです。そうしたら、そのうち問い合わせもなくなって……」

どうやら、悪循環に陥っているらしい。

従業員がいなくて仕事がまわらないため、空室があるのに客を受け入れることができない。仕方なく断っているうちに、客が減ってしまったという。

「もしかして、年末年始の客は……」

「ご予約は島崎さまだけです」

絵里が言いにくそうにつぶやいた。

予約していたのは吾郎ひとりで、あとは飛びこみの奈緒子がいるだけだ。それでは経営が成り立たないだろう。

「給料はいつから出なくなったの？」

「わたしが来たときには、もう……」

信じられないことに、絵里は一度も給料をもらっていないらしい。

確か半年ほど前から働いていると聞いている。仮に見習い期間だとしても、無給というのはおかしい。

「給料が出ないのに、どうして絵里ちゃんは辞めないの？」

「住みこみで、ご飯もタダで食べさせてもらってるんです。それに、わたし、行くところがないから……」

どうやら、なにか事情があるらしい。

給料をもらえなくても、住むところと食事があるだけでもマシらしい。実家とは縁が切れているのか、それとも家族がいないのか。だから、ほかの従業員が辞めても、ひとりで残ったのかもしれない。

「わたし、女将さんに助けてもらったんです」

絵里がぽつりぽつりと語りはじめる。

「高校生のとき、両親が事故でいっぺんに死んじゃって……それからはずっとひとりで……」

もともとは工業地帯である室蘭（むろらん）の生まれだという。

両親を交通事故で亡くして、頼れる親戚はいなかったらしい。高校は中退するしかなく、絵里は安いアパートに移り住み、正社員の働き口を探しながらアルバイトで生計を立てることにした。

しかし、中卒の女の子ができる仕事は限られている。身体を売れば手っ取り早く金を作れたが、それだけはやらなかった。

「だって、天国のお父さんとお母さんが悲しむでしょ」

絵里はそう言って微笑を浮かべる。

とはいえ、正社員の仕事には就けず、深夜の工場や清掃業などのアルバイトをつづけた。しかし、そんな生活も長くはつづかず、やがて不安と過労で倒れて家賃を払えなくなった。

当初は事情を考慮してくれた大家も、ついには痺れを切らしてアパートから追い出された。

「ひどい大家だな……」

吾郎は思わず口を挟んだ。ところが、絵里は微笑を絶やすことなく、首を小さく左右に振った。

「払えなかった家賃は、チャラにしてくれたんです。半年ぶんくらいはあったのに……それだけでも感謝しています」

絵里は路頭に迷ったが、それでも大家をまったく恨んでいないという。それどころか感謝していると言いきった。

「きっと春まで待ってくれたんだと思います」

追い出されたのが春だったのも、大家の気遣いだったらしい。なにしろ北海道だ。真冬だったら、とてもではないが生きていけなかった。

その後は、公園や高架下などで寝泊まりしながら仕事を探し求めたという。両親のぶんまで生きるという気持ちから、決してあきらめなかった。しかし、定職に就くことはできず、やり直すきっかけをつかめずにいた。

「そんな大変なことが……」

聞いているだけで胸が苦しくなる。

愛らしい笑顔の下には、想像を絶する苦労が隠されていた。そんな経験があるからこそ、ふだんから意識して笑っているのかもしれない。

「でも、やっぱりつらくて……」

絵里がふと表情を曇らせる。

当時まだ十代だった絵里にとって、路上暮らしはさすがに応えたらしい。ある日、なにもかもがいやになり、室蘭港で海をぼんやり眺めていた。波間を見ていたら、人生を自分で終わらせることが頭をよぎったという。

「そうしたら、たまたま食材を探しに来ていた女将さんが声をかけてくれたんです。どうしたのって……」

そこまで話して、絵里はふいに涙ぐんだ。

当時のことを思い出したらしい。佳恵に声をかけてもらったことが、よほどうれしかったのだろう。自分の苦労話のときには泣かなかったのに、佳恵が登場したとたんに涙をこらえられなくなっていた。

孤独のなかで追いこまれていたのだ。佳恵のやさしさに触れたことで、きっと心が救われたに違いない。

「女将さんに事情を話したら、うちにおいでって……今は大変だから給料は払えないけど、住むところとご飯はあるからって言ってくれたんです」

絵里は無理に笑っているが、目から大粒の涙がポロポロ溢(あふ)れている。

その日から、絵里は住みこみの仲居として働きはじめたという。給料は出ていないが、毎日、ご飯はお腹(なか)いっぱい食べられるらしい。

「女将さんは恩人なんです」

絵里は涙を拭うこともせず、吾郎の顔をまっすぐ見つめた。

「だから、みんなが辞めても、わたしは女将さんのために最後まで働くって決めています。恩返しがしたいんです」

「絵里ちゃん……つらい思いをしたんだね」

気の利いた言葉が思い浮かばない。

壮絶な体験を聞かされて、自分が就職活動で悩んでいた過去が恥ずかしくなった。自分も苦労したつもりでいたが、絵里はそんなものとは比べものにならない経験をしているのだ。

「でも、女将さんに出会えたから、今はとっても幸せです」

絵里はそう言って、涙を流しながら微笑(ほほえ)んだ。

「島崎さまも、そうなんでしょう?」

「うん……俺にとっても、佳恵さんは特別な人だよ」

吾郎は素直にうなずいた。

佳恵には人を惹(ひ)きつける魅力がある。心のやさしさがにじみ出ており、話しているだけで癒されるのだ。

それなのに、どうして旅館の経営が傾いているのか不思議でならない。

従業員たちも、きっと佳恵に協力したい気持ちはあったはずだ。だが、給料が出ないとなると生活していけない。申しわけないと思いながら、仕方なく辞めていったのではないか。

（いったい、なにがあったんだ……）

吾郎は腹のなかで唸（うな）った。

佳恵に恩返ししたい気持ちは吾郎も同じだ。しかし、状況がわからないのでは協力のしようがなかった。

「島崎さま……」

ふいに絵里がにじり寄り、吾郎の手をすっと握る。

柔らかい手のひらの感触にドキリとして、思わず彼女の顔を見つめ返す。濡（ぬ）れた瞳が妙に色っぽく感じて、とっさに言葉が出なかった。

「女将さんには感謝してるんです。ここに来てよかったって、心から思っています。でも……」

そこまで言って、絵里は黙りこむ。そして、下唇をキュッと噛（か）んでから、意を決したように再び口を開いた。

「でも、淋しいときもあるんです」

ささやくような声が、吾郎の耳孔（じこう）に流れこんだ。

絵里の瞳はねっとり潤んでいる。いつしか微笑も消えており、大人びた女の顔になっていた。いつも元気いっぱいの絵里が、これほどまでに艶めいた表情をするとは思いもしなかった。

絵里は握りしめた吾郎の手を、自分の胸もとへと引き寄せる。そして、臙脂色の作務衣の上から乳房に押し当てた。

「ちょ、ちょっと……」

慌てて手を引こうとするが、それより強い力で絵里が押さえつける。

「お願いします。ずっと、出会いがなかったんです」

懇願するように言われると拒絶できない。

確かに絵里の人生を振り返ると、少なくとも両親が亡くなってからは恋愛どころではなかったはずだ。生きることで精いっぱいで、同年代の若者たちのように青春を謳歌できなかった。

(かわいそうだけど、俺には……)

脳裏に佳恵の顔が浮かんだ。

恋い焦がれている女性が、すぐ近くにいる。どうにかなる相手ではないが、同じ屋根の下にいると思うと気になった。

「島崎さまが女将さんのことを好きなのはわかっています。でも、今だけ……今だけは、わたしのことを見てくれませんか」

絵里は吾郎の気持ちを見抜いている。見抜いていながら、抱かれることを望んでいた。

3

「あっ……」

絵里の唇から小さな声が溢れ出す。

そっと抱きしめると、女体に力が入るのがわかった。自分から誘っておきながら、いざとなると緊張する。じつはあまり経験がないのかもしれない。初心な反応がかわいく感じられた。

「俺でよければ、一度だけ……」

緊張しているのは吾郎も同じだ。

耳もとでささやく声が震えそうになり、なんとかこらえる。しかし、すでにペニスはボクサーブリーフのなかで頭をもたげていた。

布団はまだ敷いてある。作務衣を脱がしたら、そのまま押し倒せばいい。まずは首スジに口づけをすると、絵里はくすぐったそうに肩をすくめる。さらにもう一度、チュッと音を立ててキスをした。

「あンっ……」

絵里は声を漏らして身をよじる。

どうやら、二十歳の身体は敏感らしい。ついばむようにキスをするたび、女体がピクピクと反応した。

（かわいいな……）

そう思うほどにペニスがさらに硬くなっていく。

愛らしい顔に色気が加わることで、牡（おす）の欲望を刺激してやまない。ふだんとは雰囲気が一変しており、なおさら艶めかしく感じた。

「絵里ちゃん……」

たまらなくなり唇を奪う。作務衣の上から背中を抱きしめて、蕩（とろ）けそうに柔らかい唇を貪った。

「はンンっ」

絵里はとまどったように身を固くしている。まるでファーストキスのように緊張しているのが伝わってきた。

（まさかな……）

そう思いながら、舌を伸ばして唇を割り、口内に忍ばせる。歯茎や頬の内側を舐めまわすと、奥で縮こまっている舌をからめとった。

「ンンっ……」

絵里は微かな声を漏らすだけで、大きな反応を示さない。とにかく、緊張が抜けないようだ。

甘い唾液ごと舌を吸いあげて、作務衣ごしに乳房を撫でまわす。ブラジャーをつけているのがわかる。カップが邪魔でもどかしい。作務衣の胸もとから、強引に手を滑りこませた。

ブラジャーごと乳房を揉みあげる。すると、絵里はますます身体を固くした。

（なんか、おかしいな……）

興奮しつつも疑問を覚える。

唇を離して、至近距離から絵里の顔をまじまじと見つめた。目を強く閉じており、全身を硬直させている。それだけではなく、小刻みに震えていた。まるでヴァージンのような反応だ。

「絵里ちゃん……はじめてじゃないよね？」

まさかと思いながら問いかける。

すると、絵里は吾郎の腕のなかで肩をすくめたまま、閉じていた瞼をゆっくり持ちあげた。

「じつは……」

絵里が申しわけなさげにつぶやく。そのひと言で、彼女がヴァージンであると確信した。

「それはまずいよ」

吾郎はとっさに体を離す。

さすがに手を出すわけにはいかない。女性のはじめては大切なものだ。好きな人と経験するべきだと思った。

「やっぱり、ダメですか？」

絵里の声は消え入りそうなほど小さくなっている。しかし、あきらめがつかないのか、再び吾郎ににじり寄った。

「わたし、島崎さまに奪ってほしいんです」

「う、奪うって……」

処女を奪うと思うと、なおさら重く感じる。

気軽に抱くわけにはいかない。一夜だけの関係にしては、のしかかるものが大きすぎる。

「もっと、大切にしないと」

「そんなこと言っていたら、ずっと処女のままです」

絵里の言葉から悲痛なものが伝わった。

確かに、なかなか出会いはないかもしれない。旅館の詳しい状況はわからないが、今も落ち着いているわけではないようだ。この様子だと、まだしばらく恋人はできそうになかった。

「島崎さまは、女将さんが好きになった人だから……」

絵里の言葉に思わず身を乗り出した。

「ど、どういうこと……佳恵さんがそう言ったの？」

「いえ、そういうわけでは……でも、見ていればわかります」

返事を聞いて、少しがっかりする。

しかし、絵里は吾郎の気持ちを見抜いていた。ということは、佳恵の気持ちを見抜いていてもおかしくはない。

（佳恵さんが俺のことを……）

考えただけで気分が高揚する。だが、恋愛感情があるかどうかとなると、話はまったく違ってくる。

「女将さんが好きになった人なら、絶対に安心できます。だから、島崎さまにお願いしたいんです」

「そんな、むちゃくちゃな……」

「まじめな顔してそんなこと言っても、気づいてますよ」

絵里は妖しげな笑みを浮かべて、吾郎の股間に手を伸ばした。

「さっきから大きくなってるじゃないですか」

「うっ……」

浴衣の上からボクサーブリーフごしにペニスをつかまれると、甘い刺激が全身にひろがった。

「硬い……こんなに硬くなるんですね」

絵里が興味津々といった感じで、浴衣ごしに太幹をニギニギと握る。まるで硬さを確かめるように、硬直した肉棒を撫でまわした。

「ちょ、ちょっと、絵里ちゃん……」

「これが、わたしのなかに入るんですね」

絵里は浴衣の裾を開く。

「すごい……」

絵里は驚きの声を漏らして、まじまじと肉棒を見つめる。

ヴァージンとは思えない大胆さだ。いや、経験がないからこそ、こうして無邪気に振る舞えるのかもしれない。いずれにせよ、ペニスに触れられたことで、吾郎の興奮はますます高まった。

経験のない絵里にここまでやらせたら、もう引きさがることはできない。できるだけやさしく接するしかないだろう。

「本当にいいんだね」

確認しながら作務衣に手をかける。

「はい……奪ってください」

覚悟は決まっているらしい。絵里はきっぱりとした口調で答える。そして、立ちあがると、自ら作務衣を脱ぎはじめた。

それならばと、吾郎も立ちあがって浴衣を脱ぎ、ボクサーブリーフも一気におろしていく。裸になると、ますます興奮がふくれあがった。

「す、すごい……」

絵里が目を見開いてつぶやいた。

おそらく、ペニスをナマで見るのはこれがはじめてなのだろう。布地ごしに触っていたときは無邪気だったが、今は頬がひきつっている。もしかしたら、恐怖が湧きあがっているのかもしれない。

「怖くなったかい?」

「い、いえ……大丈夫です」

そう言いつつ、絵里は下着姿になったところで躊躇している。

身につけているのは純白のブラジャーとパンティだ。羞恥と恐怖がまざりあって、心をかき乱しているに違いない。

「大丈夫だよ」

吾郎はやさしく声をかけると、女体をそっと抱き寄せる。

両手を背中にまわして、ブラジャーのホックに指をかけた。慎重にはずすとカップをずらす。そして、女体から慎重に引き剝がした。

「あっ……」

絵里の唇から恥じらいの声が漏れる。

それと同時に瑞々しい乳房が露になった。張りのある双つのふくらみは染みひとつなく、見事な形を保っている。本人はしきりに照れているが、乳房は自己主張するようにパンパンに張りつめていた。

（こ、これが、絵里ちゃんの……）

吾郎は乳房を凝視して、思わず生唾を飲みこんだ。

丘陵の先端には薄ピンクの乳首が鎮座している。ツンと上を向いており、どこを取っても若さが溢れていた。

むしゃぶりつきたいのをこらえて、パンティに指をかける。とにかく、裸に剥いてから、じっくり愛撫を施すつもりだ。パンティをゆっくり引きさげて、太腿の上を滑らせる。

「は、恥ずかしい……」

絵里が声を漏らした直後、ふっくらとした恥丘が現れた。

陰毛は極細でわずかしか生えていない。白い地肌が透けており、縦に走る溝まではっきりわかった。

内腿をぴったり閉じているのは、激烈な羞恥を感じているからだ。吾郎はパンティを引きさげて、左右のつま先から交互に抜き取った。これで女体を覆っているものはなにもなくなった。

「お、男の人に見られるの……は、はじめてだから……」

絵里は小声でつぶやき、自分の身体を抱きしめる。

生まれたままの姿を、はじめて男の前でさらしているのだ。耳までまっ赤に染めあげて、右手で乳房を、左手で股間を覆い隠した。

だが、そうやって恥じらう姿が、ますます牡の欲望を煽り立てる。ペニスはこれ以上ないほど硬くなり、天を衝く勢いで勃起した。張りつめた亀頭の先端からは、透明な汁が大量に溢れていた。

「きれいだよ」

裸体を見つめて、自然とそんなセリフを口走る。

女性を褒めるのは照れてしまうが、瑞々しい身体を目の当たりにして賞賛せずにはいられない。それと同時に、かつてないほどの興奮を覚えて、女体を征服したい欲望がこみあげた。

絵里の身体を抱きしめると、布団の上にそっと横たえる。

吾郎は添い寝をするような体勢だ。首スジにキスの雨を降らせれば、女体は敏感にヒクヒクと反応する。さらに乳房をゆったり揉んで、指が沈みこむ感触を楽しんだ。

「はンンっ……」

　絵里の唇から微かな声が漏れる。

　身体をまさぐられて、感じはじめているのかもしれない。試しに乳房の先端で揺れている乳首をそっと摘まんでみる。とたんに女体がブルルッと感電したように痙攣した。

「あああッ、そ、そこは……」

　愛らしい声で抗議すると、絵里は濡れた瞳で吾郎を見つめる。

　どうやら、乳首がとくに敏感らしい。指先でクニクニと転がせば、瞬く間に充血して硬くなった。

「ここが感じるんだね」

　声をかけると、絵里は顔を赤くして左右に振る。

　そうやって否定する姿が愛らしくて、ますます感じさせたくなる。両手の指先で乳首を摘まんで、できるだけやさしく転がした。

「あっ……あっ……ダ、ダメです」

絵里の漏らす声が、吾郎をますます興奮させる。

右手を乳房から離して、脇腹を滑りおろしていく。なめらかな曲線を撫でながら下腹部へと移動する。そして、手のひらを恥丘にかぶせると、中指を内腿の間に沈みこませた。

「あぁっ、い、いや……」

絵里は拒絶の言葉を口走る。

だが、本心から言っているわけではない。その証拠に両手を吾郎の手首に添えただけで、引き剝がそうとはしなかった。恥ずかしさから、反射的に「いや」とつぶやいただけだ。それがわかるから、吾郎は中指の先を大切な場所にそっと押し当てた。

「あぁンっ」

艶めかしい声とともに女体がビクッと仰け反った。

陰唇に軽く触れただけだが、思った以上に反応は大きい。ヴァージンの身体は驚くほど敏感だ。しかも、乳房への愛撫がよほどよかったのか、すでにぐっしょり濡れていた。

「すごく濡れてるよ」

「そ、そんなはず……」

絵里はまっ赤な顔で否定する。

自分の身体がどういう状態になっているのか、わかっていないらしい。なにしろ、はじめて男に愛撫されたのだ。

「それじゃあ、指を動かすよ」

吾郎は恥裂に沿って、中指の先を滑らせる。すると、愛蜜の弾けるニチュッ、クチュッという音が聞こえた。

「あっ、い、いや……ああっ」

「ほら、湿った音が聞こえるだろう？」

さらに指を動かしつづけて、愛蜜の分泌をうながす。濡れかたはますます激しくなり、絵里の腰が左右に揺れはじめた。

「あンっ、ダ、ダメ、あンンっ」

「これが好きなんだね」

「ち、違うの……ああンっ、なんかヘンなの」

絵里は困ったように眉を八の字に歪めている。

こんなにも濡れているのに、決して認めようとしない。もしかしたら、感じるということがわかっていないのではないか。身体は確実に反応しているが、絵里は困惑の表情を浮かべていた。

「自分で、することはあるの？」

割れ目をそっと撫でながら問いかける。すると、絵里は赤く染まった顔を左右に振った。

「し、しないです……したことないです」

絵里の声は震えている。

初心な反応を見ていると、嘘ではないと思う。どうやら、オナニーの経験すらないらしい。

（そういうことか……）

ヴァージンどころか、快感をまったく知らないらしい。だからこそ、吾郎が触れるたび、敏感にピクピク反応するのだろう。

実際、絵里の割れ目は大量の華蜜にまみれている。女体がペニスを受け入れる準備は整っていた。

（そろそろだな……）

吾郎の興奮も限界近くまで高まっている。

ペニスは痛いくらいに張りつめて、我慢汁を垂れ流しているのだ。一刻も早く濡れそぼった女壺に突きこみたかった。

「絵里ちゃん、はじめようか」

「は、はい……」

絵里は頬をこわばらせながらも健気に返事をする。

どうやら、覚悟はできているらしい。吾郎は小さくうなずくと、右の膝を絵里の下肢に重ねて脚の間にこじいれた。それをきっかけにして女体に覆いかぶさると、腰を割りこませて正常位の体勢になった。

股間を見おろせば、ミルキーピンクの陰唇が剝き出しになっている。濡れ光っているが、ここにペニスが入るのかと思うほど可憐だった。

「み、見ないでください……恥ずかしい」

絵里の顔はまっ赤に染まっている。

脚を閉じたくても、すでに吾郎の腰が入りこんでいるのだ。羞恥にまみれているらしく、今にも泣き出しそうな顔で見あげていた。

亀頭を割れ目に押し当てる。我慢汁と愛蜜が触れ合って、クチュッという湿った音が客室に響いた。まずは恥裂の表面をゆったり滑らせる。そして、膣口を探り当てると、ほんの数ミリだけ沈みこませた。

「あうっ……こ、怖いです」

絵里が唇をわななと震わせる。

しかし、か弱い小動物のような表情が、牡の興奮をますます煽り立てた。吾郎は両手を彼女の顔の横について、腕立て伏せのような体勢になる。そして、慎重に体重をかけながら、ペニスをゆっくり押し進めた。

「はううッ……」

はじめての衝撃に女体が仰け反る。

それ以上、ペニスが入らない。亀頭の先端が処女膜に到達したのだ。押し返すような弾力すら感じる。そのまま力をこめると、ブチッという感触があり、一気にペニスが根もとまで埋まった。

「くうううッ！」

絵里の唇から苦しげな呻き声が溢れ出る。

処女喪失の痛みが突き抜けたのは間違いない。全身が硬直して、呼吸もとまっている。唇は半開きになったまま、凍えたように震えていた。

「入った……入ったよ」

吾郎は達成感に浸りながら声をかける。

ペニスを締めつける膣の力は強烈だ。凄まじい快感がひろがり、ピストンしたい衝動に駆られる。だが、今はまだ絵里を気遣わなければならない。懸命に耐えながら、シーツに肘をついて絵里の頭をそっと撫でた。

「大丈夫かい？」

吾郎はやさしく声をかける。しかし、膣に埋まったままのペニスは、快楽を欲してヒクヒクしていた。

「だ、大丈夫です……」

絵里はこくりとうなずくが声は苦しそうだ。

無理をしているのがわかるから、吾郎は動くことができない。ところが、絵里はにっこり微笑んだ。

「動いてください」

「でも……」

吾郎のほうが躊躇してしまう。

もちろん、思いきり腰を振りたい気持ちはある。とはいえ、絵里はヴァージンを卒業した直後だ。欲望をぶつけるわけにはいかなかった。

「男の人は動かないとダメなんですよね」

絵里が健気につぶやいた。

まだ破瓜の痛みがあるに違いない。絵里の目には涙がたまっている。痛々しいが、なぜかその表情を見ていると欲望が刺激されてしまう。女性を征服した錯覚に囚われて、膣のなかでペニスがひとまわり大きく膨張した。

「ンンっ……」

カリが膣壁にめりこんで、絵里が小さな呻き声を漏らす。その声を聞いて、吾郎は我に返った。

「無理をすることはないんだよ」

できるだけやさしく声をかけるが、絵里は首をゆるゆると左右に振る。そして、懇願するように吾郎の目をじっと見つめた。

「う、動いてください……」

「俺は大丈夫だから、自分のことだけを考えるんだ」

懸命に欲望を抑えて語りかける。

本当は動きたくて仕方がない。じっとしていても女壺で締めつけられて、我慢汁がトクトクと溢れていた。

「ちゃんと最後まで……お願いします」

なぜか絵里は一歩も引こうとしない。吾郎の目を見つめて、同じことを訴え続ける。

「はじめてなんだから、これでいいんじゃないかな。もう全部入ったよ」

「中途半端はいやです。ちゃんと、わたしのなかで……」

絵里はそう言って、腰を微かによじった。

「はンンっ」

「え、絵里ちゃん……ううッ」

思わず快楽の呻き声を漏らしてしまう。

膣が猛烈に締まっているため、ほんの少し動いただけでペニスに快感が走り抜けた。

絵里は途中でやめることを望んでいない。挿入するだけではなく、男が達しなければいけないと思いこんでいる。そこまでするのがセックスだという、自分の理想があるようだ。

「は、はじめてだから、ちゃんと……」

「わかったよ」

吾郎は心を決めて声をかけた。

これは記念すべきロストヴァージンだ。絵里が望んでいるのなら、そうしてあげるべきだと思う。もちろん、吾郎自身の欲望も最高潮に高まっている。先ほどから腰を振りたくて仕方なかった。

「それじゃあ、ゆっくり動くよ」

「お願いします……」

絵里がこっくりうなずいた。

吾郎は慎重に腰を引いて、ペニスをズルズルと後退させる。カリが膣壁を擦ることで、甘い痺れがひろがっていく。亀頭が抜け落ちる寸前でとまると、今度はゆっくり押しこんだ。

(こ、これはすごい……)

強烈な刺激が突き抜けて、思わず腹のなかで唸った。

なにしろ膣の締まりが強いため、ペニスに受ける刺激は凄まじい。ほんの少しの動きでも、確実に快感が生じているのだ。思いきり腰を振りたくなるが、なんとかこらえてスローペースのピストンを徹底する。

自分の欲望は二の次だ。とにかく、絵里の痛みを最小限に抑えるように注意して、ペニスをじわじわと動かした。

「はンンっ……」

絵里は眉を歪めると下唇をキュッと噛んだ。

膣内を擦られる刺激に呻いて、女体を小刻みに震わせる。なにしろ、これがはじめてのセックスだ。刺激が強すぎるに違いなかった。

「少し休もうか？」

吾郎はゆっくり腰を動かしながら声をかける。

ペニスと膣道がなじむような動きを心がけるが、それで彼女の痛みがなくなるわけではない。早く終わらせたほうがいいと思うが、それにはもっと激しく動かす必要があった。

「休まなくても大丈夫です」

「でも……」

「もう、痛くないから……」

絵里はそう言うが、眉間には微かな縦皺が刻まれている。

無理をしているに違いない。しかし、硬かった膣道がウネウネと動いて、竿(さお)にからみついている。目の下はほんのり桜色に染まっており、なにやら色っぽい表情になっていた。

（もしかして……）

破瓜の痛みは和らいで、多少なりとも感じはじめているのかもしれない。

ほんの少しだけピストンを速くする。ペニスと膣壁が擦れて、とたんに快感が高まった。

「ううッ……す、すごい」

我慢していたので、なおさら愉悦が大きくなる。我慢汁がどっと溢れて、射精欲がこみあげた。

「あああッ……」

絵里の唇からも甘い声が溢れ出す。

カリで膣壁を擦られて、女体がビクビクと震えている。華蜜の量も増えており、股間から湿った音が響いていた。

「わ、わたしのなか……気持ちいいですか？」

絵里が恥ずかしげに尋ねる。

自分の身体で男が感じていることを確認したいらしい。はじめてのセックスだが、相手の反応が気になって仕方がないようだ。両親を亡くしてひとりきりの時期があったため、誰かに必要とされたいのかもしれなかった。

「わたし……どうですか？」

絵里は吾郎の腰に両手を添えると、縋るような瞳を向けた。

「すごく気持ちいいよ」

言葉にすることで快感がより大きくなる。自然とピストンが速くなり、ペニスをヌルヌルと出し入れした。

「あッ……あッ……」

絵里もしっかり反応している。

甘い声をあげて腰をよじり、吾郎のペニスを受けとめた。女壺のなかが波打って、亀頭と竿をねちっこく絞りあげた。

「おおおッ、す、すごいっ」

「ああンっ、わたしも、ヘンな感じですっ」

絵里も感じている。はじめてのセックスで腰をよじり、甘ったるい声を振りまいていた。

「おおおッ、も、もうすぐ出すよ」

スローピストンでこらえてきた反動で、一気に高みへと昇っていく。射精欲が爆発的にふくらみ、頭のなかがまっ赤に燃えあがった。

「ああァッ、島崎さまっ」

「くおおおッ、で、出るっ、おおおおッ、おおおおおおおッ！」

吾郎は絵里の身体を抱きしめると、ペニスを深く突きこんだ。

女壺に包まれて、太幹が何度も脈動する。膨張した亀頭の先端から、猛烈な勢いで精液がドクドクと噴きあがった。膣壁に締めつけられながら射精するのが気持ちいい。たまらず呻き声をまき散らしながら快楽に酔いしれた。

「あ、熱いっ、はあああああッ！」

絵里は大量の精液を膣奥で受けとめて、身体を大きく仰け反らせる。

さすがに絶頂することはないが、はじめての快楽に流されているのは間違いない。膣がギュウウッと締まり、ペニスをきつく絞りあげた。

「おおおッ……おおおおッ」

吾郎は呻くことしかできなくなる。

ザーメンは勢いよく出つづけて、女壺のなかを埋めつくしていく。根もとまでしっかり埋めこんで、最後の一滴まで放出した。

「ああぁっ……なかでピクピクしてます」

絵里も両手を吾郎の背中にまわしてくれる。

ペニスと精液の感触を記憶に刻みこむように、膣奥ですべてをしっかり受けとめた。

「うれしい……」

絵里の目には光るものがある。

ヴァージンを卒業できたのがうれしいのか、それとも破瓜の痛みがぶり返したのか。いずれにせよ、膣はペニスを食いしめたままだった。

吾郎が無言で唇を重ねると、絵里は睫毛（まつげ）を伏せて受け入れる。

どちらからともなく舌をそっとからませれば、身も心もひとつに溶け合うような感覚がひろがった。

第四章　女将の矜持

1

夕方、吾郎は客室でゴロゴロしていた。

昼食は大広間で摂ったが、佳恵も奈緒子も見かけなかった。

絵里が給仕をしてくれたが、なんとなく気まずくて、言葉をほとんど交わさなかった。絵里もセックスのあとで恥ずかしかったのだろう。一度も目を合わせてくれなかった。

そのあとは客室に戻って、浴衣姿でのんびり過ごした。

本当は佳恵とゆっくり話をしたかったが、それどころではないだろう。おそらく、奈緒子につきっきりに違いない。だいぶ思いつめているようだったので、ひとりにするのは心配だ。

二泊すれば、少しくらい話す時間があると思っていた。しかし、不測の事態が起きたのだから仕方がない。明日の朝、吾郎は札幌に帰るが、佳恵は忙しいので時間は取れないだろう。

（結局、縁がないってことなんだろうな……）

心のなかでつぶやくと淋しさがこみあげる。

はじめからわかっていたことだ。老舗旅館の女将と、しがない会社員の自分が釣り合うはずがなかった。

ようやく現実に引き戻された気分だ。十年ぶりに会ったことで、ひとりで盛りあがってしまった。もしかしたら脈があるかもしれないと勘違いした。だが、結局のところ、ただの幻想だった。

（バカだよな。俺……）

思わず苦笑が漏れる。

予想外の正月になってしまった。それでも、佳恵に会えただけでもよかったと思うしかなかった。

それにしても落ち着かない。昨夜、セックスした人妻が、夫を殺してしまったと告白したのだ。真偽のほどは定かでない。横になっていても、そわそわして昼寝もできなかった。

奈緒子の夫のことは、ワイドショーでもスマホのニュースでも取りあげられていない。今、夫がどういう状態なのか、真相はわからないままだった。

(風呂でも入るかな……)

夕飯の前にひとっ風呂浴びるつもりで立ちあがる。

着がえとバスタオルを持って部屋を出ると、一階におりていく。やはり宿のなかは静まり返っている。従業員がふたりと客がふたり、計四人しかいないのだから当然だ。

詳しいことはわからないが、宿の経営が厳しいのは間違いない。このままでは継続していくのはむずかしいだろう。淋しい気持ちになり、廊下の奥にある大浴場に向かって歩いていく。

「すみません」

そのとき、遠くから男性の声が聞こえた。

正面入口のほうだ。考えてみれば、宿にいる男は吾郎だけだ。ということは客だろうか。ところが、佳恵も絵里も姿を見せなかった。おそらく、佳恵は奈緒子といっしょにいて、絵里は雑用をしているのではないか。

（たぶん気づいてないんだな……）

呼びに行かなければと思うが、どこにいるのかわからない。

飛びこみの客だったら、帰ってしまうかもしれない。とりあえず客に声をかけて、待ってもらったほうがいいだろう。

すぐに廊下を戻り、正面玄関に向かう。すると、引き戸が開いたままで、制服姿の警察官がふたり立っていた。

（あれ？）

てっきり客だと思いこんでいたので、とまどってしまう。吾郎が困惑していると、警察官のひとりが頭をさげた。

「どうも、こんにちは」

挨拶をしたのは、ぱっと見たところ五十歳前後の警察官だ。

白髪まじりで、顔には深い皺が刻まれている。落ち着き払っており、いかにもベテランといった雰囲気だ。思いのほかにこやかだが、眼光が鋭く感じたのは気のせいだろうか。

もうひとりの警察官はだいぶ若い。二十代前半だろうか。背すじをビシッと伸ばしており、硬い表情を浮かべている。ベテラン警察官とは違って、にこりともしない。ただ黙って探るような目を向けていた。

（もしかしたら、奈緒子さんのことで来たのか？）

ふと奈緒子の顔が脳裏に浮かんだ。

夫の遺体が発見されたのなら、まずは妻である奈緒子に話を聞くのは当然のことだろう。だが、自宅にいなかったことで、疑われているのではないか。いや、すでに容疑が固まっている可能性もある。

（それにしても……）

奈緒子がここに潜んでいると、どうしてわかったのだろうか。

夫と口論になり、突き飛ばした拍子に怪我を負わせてしまった。奈緒子は怖くなり、家から逃げ出したという。

気づくと登別だったというから、その間は呆然とした状態だったはずだ。誰かに連絡をしたとは考えづらい。今は至る所に防犯カメラがあるので、それらをチェックして居場所を突きとめたのだろうか。

（いや待てよ。もしかしたら……）

ついからむような口調になってしまう。

無理なことだとわかっているが、奈緒子に会わせることなく、なんとかして追い返したかった。

「お騒がせして申しわけございません。女将さんに確認したいことがあるんです。いらっしゃらないですかね？」

ベテラン警察官は作り笑顔を浮かべている。

しかし、目の奥には強い光が宿っていた。奈緒子を逮捕するつもりなのではないか。そんな気がして、吾郎は思わず内心身構えた。

（どうすればいいんだ……）

思わず奥歯をギリッと噛んだ。

奈緒子が捕まるところは見たくない。だが、警察を妨害して逃がせば、吾郎もなんらかの罪に問われるだろう。

「女将さんですか。どこにいるのかな……捜してきましょうか」

「そうしてもらえると助かります」

ベテラン警察官が頭をさげた。

隣に立っている若い警察官は相変わらず無愛想だ。もしかしたら、吾郎のことを怪しいと思っているのではないか。奈緒子を逃がしたいという気持ちを見抜かれているのではないか。

（いや、大丈夫だ……）

胸のうちで自分自身に言い聞かせる。

警察官の口から奈緒子を捜していると聞いたわけではない。まだ目的を知らないのだから、それとなく警察が来ていると奈緒子に伝えても問題はないはずだ。

そこからどうするかは奈緒子しだいだ。

あとは佳恵を連れて、ここにゆっくり戻ればいい。奈緒子が裏口から逃げ出すための時間稼ぎはできるだろう。

（よし、行くか）

吾郎は腹を決めると警察官たちに背中を向けた。

「あっ……」

その直後、思わず小さな声を漏らして固まった。

廊下の奥から、佳恵がこちらに向かってくるのが見えたのだ。どうやら来客に気づいてしまったらしい。時間稼ぎをするどころか、奈緒子に伝えることもできなくなった。

佳恵は着物に身を包んで、黒髪をきっちり結いあげている。楚々（そそ）とした足取りで、背すじをすっと伸ばした姿が美しい。それでいながら、なにかを決意したように、警察官をまっすぐ見据えていた。

「佳恵さん……今、呼びに行こうかと……」

目の前まで来た佳恵に、吾郎はとまどいながら声をかける。

すると、佳恵は吾郎の目を見て、小さくうなずいた。無言だったが、心になにかを秘めている気がした。

「警察の方が、女将さんに話があるって……」

「はい。ありがとうございます」

「お仕事中だったんじゃないですか。忙しいのですから、少し待ってもらったほうがいいと思いますけど」

吾郎は時間稼ぎをあきらめていないが、その意図は伝わらなかったようだ。佳恵はあっさり吾郎の横を通りすぎて、警察官の前に立った。

（奈緒子さんのことじゃないのか？）

ふとそんな気がした。

おそらく、佳恵は警察官が訪ねてきた理由をわかっている。そして、それは奈緒子とは無関係のことではないか。ただの勘でしかないが、佳恵の表情を目にしてそう思った。

「あけましておめでとうございます」

佳恵が丁重に頭をさげる。

すると、ベテラン警察官はとたんに相好を崩した。これまでの作り笑顔とは異なり、心から笑っているのがわかった。

「これはこれは、ご丁寧に……あけましておめでとうございます。おい、おまえも挨拶せんか」

ベテラン警察官はあらたまった感じで腰を折ると、隣に立っている男の脇腹を肘でつついた。すると、それまで黙っていた若い警察官は、はっとした様子で敬礼をした。

「し、失礼しました。あけましておめでとうございますっ」

なぜか顔がまっ赤に染まっている。

どうやら、佳恵の美貌に見惚(みと)れていたらしい。ベテラン警察官は呆(あき)れて苦笑を漏らした。

「すみませんね。こいつ、ここに来るのはじめてなんで緊張してるんですよ」

「おまわりさんでも緊張なさるんですね」

佳恵はそう言って微笑を浮かべる。

しかし、心から笑っているわけではない。緊張しているのがわかるから、吾郎はなおさら気になってしまう。

「わたしも最初は緊張しましたよ。なにしろ、温泉宿かたおかさんといえば、老舗旅館ですからね」

「そんな大層なものではありませんよ」

「いやいや、ご謙遜を。わたしのように地元で生まれ育った者からすれば、大層な場所ですよ」

先ほどから、どうでもいい雑談ばかりだ。

ベテラン警察官のほうは、佳恵と顔見知りらしい。話しぶりからすると、すでに何度か来ているようだ。

（どうして、警察が……）

やはり奈緒子とは別件だ。

なにかあったのは間違いない。しかし、吾郎がいるせいか、なかなか本題に入ろうとしなかった。

（そうか、俺は邪魔ってことだな……）

心のなかで吐き捨てた。

自分でも子供じみていると思うが、仲間はずれにされた気分だ。状況がわからず、心がざわついている。とにかく、あれこれ考えたが、奈緒子と別件ならすべては無駄だったということだ。急に馬鹿馬鹿しくなり、吾郎は三人に背中を向けた。

「じゃあ、俺はこれで……」

小声でぽつりとつぶやく。苛々（いらいら）しているが、黙って立ち去るのも大人げないと思った。

「あとで……」

そのとき、佳恵の声が聞こえた。

自分に向けられた言葉だとは思わなかった。それでも、なんとなく振り返ると、佳恵がこちらをまっすぐ見つめていた。

「俺、ですか？」

思わず自分の顔を指さして尋ねる。すると、佳恵はこっくりうなずいた。

「ごめんなさい。あとで、ちゃんと説明します」

なぜか佳恵はせつなげな表情を浮かべている。

いまだに状況はまったくわからない。それでも、佳恵が声をかけてくれたことで、心のざわつきは収まった。

「のちほど、お部屋にうかがいます」

「お待ちしています。でも、無理をしなくてもいいですよ」

すでに吾郎の気持ちは落ち着いている。

本当に佳恵が部屋に来てくれるかどうかはわからない。なにしろ、奈緒子のこともあるので、対応に追われているはずだ。だが、説明しようとしてくれる気持ちがあるだけでも、うれしかった。

「お寛ぎのところ、申しわけございませんでした」

ベテラン警察官が丁寧に頭をさげる。その隣では、若い警察官がまじめな顔で敬礼していた。

吾郎はお辞儀をしてから、静かに歩きはじめた。

「年が明ける前にと思っていたのですが、ご報告がすっかり遅くなってしまいました。例の件ですが――」

背後からベテラン警察官の声が聞こえる。先ほどまでとは打って変わり、やけに深刻な口調になっていた。

2

吾郎は温泉にゆっくり浸かると、部屋に戻って一服した。

夕飯の時間になり、そろそろ大広間に向かおうとしたとき、佳恵が部屋にやってきた。

「失礼いたします。お食事をお持ちしました」

「部屋食ですか？」

「はい、こちらの都合で予定を変更して申しわけございません」

佳恵は料理が載ったお盆を手にしている。部屋食はまったく問題ないが、一階から持ってくるのは大変だろう。

「わざわざ、すみません」

吾郎が礼を言うと、佳恵は首を左右に振った。

「お話ししたいこともあるので、勝手ながらお部屋食にさせていただきました」

「そうでしたか。ありがとうございます。でも、時間は大丈夫ですか？」

念のため確認する。

もちろん、佳恵とゆっくり話せるのはうれしい。だが、状況が状況だ。ただでさえ従業員はふたりしかいなくて大変なのに、奈緒子のこともある。ここで時間を取っても大丈夫なのだろうか。

「奈緒子さんのことは、絵里ちゃんにまかせていますので」

佳恵は穏やかな声で答えると、座卓に料理を並べていく。

奈緒子は情緒が不安定になっているため、誰かがついていないと心配な状態らしい。今は絵里が様子を見ているという。奈緒子も客室で夕食を摂り、絵里が話し相手になっているようだ。

「絵里ちゃん、聞き上手なんです。わたしも、いろいろ話を聞いてもらってるんですよ」

そう言って佳恵は目を細めた。

絵里は若いが苦労をしているので、人の痛みがわかるのだろう。佳恵が信頼するのもわかる気がした。

今夜の献立は、刺身の盛り合わせにカニ汁、それにキンキの煮つけなど海鮮づくしだ。とりあえず、こみ入った話はあとにして、佳恵の手料理をじっくり味わうことにした。

佳恵も食事の間は、当たり障りのない会話に終始した。お茶を入れたり、ご飯をよそってくれたりと甲斐甲斐しく世話をしてくれた。

「ご馳走さまでした。おいしかったです」

「お粗末さまでした」

食事を終えると、絵里が食器をかたづける。そして、お茶を入れ直して、あらたまった様子で向き合った。

「さっきはごめんなさい。おまわりさんが来て、驚かれましたよね」

絵里が申しわけなさそうに頭をさげる。

なにか事情があったのだから、謝る必要はないと思う。しかし、旅館の女将としては、客に迷惑をかけたという気持ちがあるようだ。

「謝らないでください。俺は客ですけど、あまり気を遣われると淋しいです。客の前に、佳恵さんの古い知り合いのつもりでいますから」

ずっと思っていたことを伝える。

知り合いとはいっても、十年前に一度泊まっただけで、そのあとは連絡も取っていない。だが、こうして再会したことで、なにか通じ合うものを感じる。少なくとも吾郎にとって、佳恵は特別な存在だった。

「でも、せっかく泊まってくださったのに、おもてなしができないのが申しわけなくて……」

佳恵はそう言って視線を落とす。正座をした膝の上に置いた両手を、グッと握りしめた。

「おもてなしなら、充分すぎるほどしてもらってますよ」

「こんなにお騒がせして……本当にごめんなさい」

「ほら、また謝ってる。俺なら大丈夫ですよ」

「でも……」

顔をあげた佳恵の目には、涙がいっぱいたまっている。今にもこぼれてしまいそうで、吾郎は一瞬たじろいだ。

「じつは、吾郎さんが最後のお客さまなんです」

佳恵が意を決したように切り出した。

いったい、どういう意味だろうか。すぐには理解できない。いやな予感がじわじわこみあげて、吾郎は思わず黙りこんだ。

「たまたま奈緒子さんが泊まることになりましたが、ご予約のお客さまは吾郎さんが最後です」

「俺が、最後……」

「本当は年内いっぱいのつもりでした。でも、旅行サイトを閉じる前に、吾郎さんから予約が入って……」

佳恵はそこで言葉を切ると、こみあげるものをこらえるように瞼(まぶた)を閉じる。そして、再び瞼を開いたときには瞳が潤んでいた。

「このタイミングで、吾郎さんから予約が入るなんて……十年前にわたしを助けてくれた吾郎さんから……最後のお客さまに相応(ふさわ)しいと思いました」

言い終わると同時に、涙が溢(あふ)れて頬を濡(ぬ)らしていく。それでも、視線をそらすことなく、まっすぐ吾郎の顔を見つめていた。

「廃業することになりました」

佳恵は背すじを正すと静かに告げる。

涙は溢れているが、いつもと変わらぬ声だ。懸命に感情を抑えているとわかるから、見ているほうも胸が苦しくなってしまう。

「そんな、まさか……」

それ以上、言葉がつづかない。

なにかおかしいとは思っていたが、そこまで追いこまれているとは知らなかった。十年前に一度泊まったきりで、常連客でもない自分が偉そうなことは言えないが、なくなると思うと淋しくなる。

「もう、決定なんですか？」

「力不足で申しわけございません」

佳恵は畳に両手をついて頭を深々とさげた。

絞り出すような声だった。涙をこらえようとするが、どうしても溢れてしまうのだろう。佳恵は声を押し殺して泣いていた。

「どうして……なにがあったんですか？」

今ひとつ納得がいかない。

絵里から聞いた話では、給料が出ないので従業員が辞めてしまったという。しかし、山奥にあって目立たないが、常連客はついていたのではないか。タクシーの運転手も警察官も、老舗だと言っていた。

「もしかして、警察と関係があるんじゃないですか」

吾郎が立ち去るとき、警察官と佳恵はなにか深刻な雰囲気で話していたのを覚えている。奈緒子とは別件なら、宿に関することではないか。

「じつは……料理長が旅館のお金を持ち逃げしたんです」

佳恵が言葉を選びながら話しはじめる。

両親が元気だったころから、料理長は働いていたという。勤続五十年で、もうすぐ七十歳になるらしい。料理の腕は確かで仕事ぶりはまじめだが、年を取ってからギャンブルに嵌(は)まっていた。

「奥さんが病気で亡くなって、それからギャンブルをはじめたみたいです。きっと淋しかったんですね」

佳恵はそう言って視線を落とす。

金を持ち逃げされたにもかかわらず、同情しているようだ。そんな人のよさにつけこまれたのかもしれない。佳恵のやさしさに救われた身としては、なんとも複雑な思いがあった。

「ギャンブルで借金を作って、返済に困っていたようです」

そのことは、佳恵もあとになって知ったという。

宿にあった売上金だけではなく、銀行の金も引き出されてしまった。料理長は食材の仕入れなども日常的に行っていたため、かなりの金額を動かせる立場にあったようだ。

「すぐ警察に届けたのですが、料理長は本州に渡っていました。そこから先の足取りはつかめていないそうです」

佳恵は努めて淡々と語っている。

無理にでも気持ちを抑えこまなければ、悲しみや落胆などの負の感情が溢れ出してしまうに違いない。涙だけが静かに流れつづけており、見ているのがつらいほど痛々しかった。

金を持ち逃げされた結果、取引先への支払いが滞った。

それでも、これまでのつき合いから信用があったため、ずいぶん待ってもらえたという。だが、料理長がいなくなったことで食事を提供できなくなった。絶品の料理が売りのひとつであったため、予約が一気に減り、キャンセルもたくさん出たらしい。

「そこから悪循環がはじまって……」

一度狂った歯車は、そう簡単に修正が利かない。やがて従業員の給料を払えなくなり、取引先からも支払いを催促されるようになった。

「代わりの料理人がすぐに見つかれば、状況は違ったと思います。でも、お客さまに納得していただくには、かなりの腕前の方でなければ……」

佳恵の声は苦しげだ。

料理長の腕が、よほどよかったのだろう。代わりの料理人はなかなか見つからず、客は減る一方だったという。

やがて料理人を雇う金もなくなり、佳恵が厨房に立つことになった。修業中に調理師免許を取っていたのが役立ったが、すでに経営は取り返しのつかない状態になっていた。

従業員たちは次々と去り、絵里だけが残った。そして、ついには廃業することになったという。

「警察の方はなんて言ってたんですか？」

「捜査の進展の報告です。料理長の行方はわからないままでした。もう半年以上経っているので、長期化するかもしれないと……もし、お金が戻ってきたら、立て直すチャンスもあったのですが、これで完全に……」

佳恵はがっくりとうなだれた。

「借金で困っていたなら、相談してほしかったです。でも、料理長もプライドがあるので、わたしには言えなかったんでしょうね。両親がいれば違ったと思うんですけど……」

「プライドって、なんですか」

料理長に対する怒りが沸々とこみあげる。

どんな理由があっても、金を持ち逃げするなどあってはならない。しかも、信頼されていた職場から盗んだのだ。その結果、経営は行きづまってしまった。老舗旅館を廃業に追いこんだ罪は重い。

（それに、なにより……）

吾郎は思わず拳を握りしめた。

佳恵をここまで悲しませていることが許せない。もし料理長が目の前に現れたら、ためらうことなく殴り飛ばすだろう。

「ギャンブルで作った借金を、盗んだ金で返すなんて最低だな……佳恵さんはこんなにがんばっているのに……」

やり場のない憤怒がふくれあがり、奥歯が砕けそうなほど食いしばった。

「クソッ……」

右の拳を左手に思いきりたたきつける。すると、佳恵が驚いた顔で吾郎を見つめた。

「吾郎さんでも、そんなに怒ることがあるんですね」

いつもの穏やかな声だった。

指摘されてはっとする。吾郎は思わず苦笑を浮かべると、慌てて肩から力を抜いた。

「すみません。いちばんつらいのは佳恵さんなのに……」

怒りを抑えることができず、つい態度に出してしまった。

申しわけなく思って頭をさげる。代々つづいてきた旅館を閉めるという選択をするのは、どれほど苦しくて悲しいことだろうか。

サラリーマン家庭に育った吾郎には想像もつかないが、責任とか使命感、ほかにもたくさんのものを背負っていたに違いない。自分の代でやめるのは苦渋の決断だったはずだ。

「わたしが甘かったです」

佳恵はぽつりとつぶやいた。

あきらめにも似たような口調になっている。悲しみは深いが、覚悟は決まっているようだ。

「でも、料理長のことは恨んでいません」

「どうして……」

こんな目に遭ったというのに、なにを言っているのだろうか。思わず首をかしげて、佳恵を見つめた。

「料理長を信頼して、おまかせしたのはわたしです。うちで五十年も働いてくれて、おいしい料理をたくさん作ってくれました。料理長がいなかったら、今日まで営業できていたかわかりません」

確かにそうかもしれない。

実際、半年も経っているのに、料理長の代わりを見つけられなかった。腕の立つ料理人は、すでにどこかで働いている。人材を確保するというのは、そう簡単なことではないのだろう。

「でも、料理長のせいで大変なことになったんですよね」

「料理長を信頼したことは、後悔していません。人にまかせる時点で、こういう事態は想定しておくべきでした。わたしが事前に対策をしておけば、廃業せずにすんだはずです」

人を責めるのではなく、あくまでも自分に責任があると思っている。

佳恵は人にやさしく自分に厳しい。なにかあっても、決して人のせいにしない性格だ。ふだんは穏やかだが、一本の芯がしっかりとおっている。だから、いっしょにいて心地いいのかもしれない。

「さすがです。立派な女将さんになられたのですね」

感心してつぶやいた。

十年前の佳恵は若女将になったばかりで、まだ頼りなかった。でも今はしっかりしており、眩しく感じるほどになっていた。

「佳恵さんを見ていると、俺も、もっとがんばらないとって思います」

「それは買いかぶりです。だって、廃業するんですよ」

佳恵は複雑な表情を浮かべている。

褒められたのは悪い気がしないのだろう。しかし、宿を閉めることは決定している。素直に喜べる状況ではなかった。

「本当に残念です。いい宿なのにな……」

つい心の声が漏れてしまう。

今回、泊まったことであらためて実感した。こんなにも素敵な宿がなくなってしまうのは、もったいないと思う。

「不思議なんです。一度しか泊まったことがないのに、懐かしい場所に帰ってきたような気がするんです。すごくリラックスできるんですよ。これって、きっと佳恵さんの人柄が出てるからなんですね」

　吾郎は正直な思いを告げる。

　すると、佳恵は顔をうつむかせて、左右にゆるゆると振った。着物の肩が小刻みに震えているのは、泣いているからだろうか。

「ありがとうございます。そう言っていただけるだけで……」

　それ以上は言葉にならない。佳恵の目から涙が溢れて、またしても頬を濡らしていく。

「佳恵さん……」

　吾郎は思わず腰を浮かせると、佳恵のすぐ隣に移動する。胡座(あぐら)をかくなり、とにかく震える肩をそっと抱き寄せた。

（俺に力があれば……）

　手助けできないのがもどかしい。

　吾郎はごく普通の会社員だ。とくに仕事ができるわけでもなく、財力も権力も持ち合わせていない。せめて紹介できる人がいればよかったが、宿の経営を立て直せるような知り合いはいなかった。

「なにもできなくて、すみません」

元気づけるような言葉も思いつかない。こうして肩を抱きしめることしかできなかった。

「お気持ちだけでもうれしいです。吾郎さんが最後のお客さまで、本当によかったです」

佳恵はそう言うと、吾郎の胸板にもたれかかる。

ふたりとも黙りこんで、時間だけが静かに流れていく。佳恵の肩をそっと擦(さす)っているうちに、いつしか震えは収まった。

3

(俺、なにやってるんだ?)

甘いシャンプーの香りに気づいて、ふと我に返る。

すぐそこに佳恵の頭がある。まるで恋人同士のように寄り添って、身体を密着させているのだ。

(うっ……)

意識したことで、股間がズクリッと反応してしまう。

ボクサーブリーフのなかで、ペニスが頭をもたげるのがわかる。このままだと勃起するのは間違いない。佳恵はうつむいているので顔を確認できないが、もし目を開いていたら股間がまる見えのはずだ。

（や、やばい……）

焦りが急速に大きくなる。

胡座をかいているので浴衣の裾が乱れていた。前をしっかり重ねたいが、佳恵を抱いている状態では直せない。今、不自然な動きをすれば、勃起を隠そうとしているとバレてしまう。

手のひらに触れている佳恵の肩の感触と、胸板に押し当てられている頬の柔らかさが気になって仕方ない。さらには甘いシャンプーの香りが、常に鼻腔をくすぐっている。佳恵がうつむいているのも、股間を見つめられている気がしてドキドキした。

（今はダメだ……）

心のなかでペニスに向かって語りかける。

さすがに勃起してはいけない場面だ。状況が悪すぎる。深刻な話をした直後にペニスをおっ勃てたら、佳恵に呆れられてしまう。なんとかして鎮めなければと思うが、密着している以上、興奮を抑えるのはむずかしい。

「うっ……」

ふいに小さな呻き声が溢れ出す。

股間に甘い刺激が走ったのだ。佳恵の手が浴衣の裾から入りこみ、ボクサーブリーフのふくらみをやさしく撫でていた。

「また、大きくしてくれたんですね」

佳恵がぽつりとつぶやく。

十年前の大浴場での出来事を思い出しているのだろう。佳恵は呆れることも怒ることもなく、硬くなったペニスを布地ごしに撫でつづける。そして、指をゆっくり曲げると、ボクサーブリーフの上から竿をつかんだ。

「ううっ」

またしても声が溢れてしまう。

握られたことでペニスはさらに硬くなる。先端からは我慢汁が噴き出して、水色のボクサーブリーフに黒っぽいシミがひろがった。

「すごく硬くなってますよ」

佳恵は頬を胸板から離すと、正面にまわりこんで正座をする。右手ではペニスをつかんだまま、吾郎の顔をじっと見つめた。

「覚えていますか？」

ささやくような声だった。

「も、もちろんです……」

吾郎はとまどいながらも答える。

ふたりの脳裏に浮かんでいるのは、もちろん十年前のことだ。大浴場でペニスをしゃぶってもらったのは、ふたりだけの秘密だった。

「同じこと、してもいいですか？」

佳恵はそう言うと、吾郎の肩をそっと押した。

同じこととは、フェラチオのことを指しているのだろう。まさか、佳恵からそんな提案があるとは思いもしなかった。

「も、もちろんです」

吾郎は畳の上で仰向けになり、首を持ちあげて佳恵を見やる。

うれしいかぎりだが、彼女の真意がわからない。いったい、なにを考えているのだろうか。

「でも、どうして？」

「あのときと同じ気持ちになりたいんです」

佳恵は浴衣の裾を左右に大きく開いて、ボクサーブリーフのウエスト部分に指をかけた。

「あのときと同じ気持ち、ですか？」

「はい、わたしも吾郎さんも若かったですよね。悩みながらも、がんばっていました。がんばっていたから、悩んでいたのかもしれません」

そう言われて思い出す。

佳恵は新米の若女将で、吾郎は就活生だった。ふたりともうまくいかないことばかりで、悩みを打ち明け合って共感した。

「でも、今のわたしは……」

声がどんどん小さくなる。

廃業することになり、心が弱っているのではないか。若いころの気持ちを思い出すことで、挫けそうな自分を勇気づけたいのかもしれない。なんとなく佳恵の言いたいことがわかる気がした。

「俺も、ときどき思い出します。あのころは、うまくいかないことばかりだったけど、それでもがんばっていたなって……」

吾郎がつぶやくと、佳恵は無言でこくりとうなずく。そして、ボクサーブリーフを引きさげた。

勃起したペニスが鎌首を振ってブルンッと飛び出す。

まじめな話をしていても興奮は収まることはない。それどころか、十年前を思い出して、ペニスはますます大きくなっている。亀頭は破裂しそうなほどふくらみ、竿は野太く成長していた。

「ああっ、やっぱり大きいです」

佳恵がため息まじりにつぶやき、涙で濡れた瞳をペニスに向ける。

見られていると思うと、よけいに興奮してしまう。反り返った男根が、意思とは無関係にピクッと跳ねた。

「あっ、動きました」

「視線を感じると、つい力が入ってしまうみたいで……」

恥ずかしいが気持ちは高揚している。

これから起きることを考えると、尿道口から透明な汁が溢れ出す。亀頭をしっとり濡らして、牡（おす）の強烈な臭いがひろがった。

しかし、佳恵はいやな顔をするどころか、うっとりした表情を浮かべる。正座をした状態から前屈みになり、顔をペニスに近づける。そして、至近距離からまじまじと見つめた。

「吾郎さんって、やっぱりすごいんだわ」

ひとりごとのようなつぶやきだ。

もしかしたら、誰かと比べているのかもしれない。佳恵は三十五歳だ。いくら仕事が忙しかったとはいえ、これほど美しい女性を周囲の男たちが放っておくはずがない。

（そりゃそうだよな……）

わかりきっていることだが、考えると落ちこんでしまう。

冴えない自分でさえ、就職してから恋人ができたのだ。佳恵になにもなかったとは思えない。認めたくないが、恋愛のひとつやふたつはあるだろう。そもそも十年前にフェラチオしてくれた時点で、佳恵には経験があったのだ。あれがはじめてのはずがなかった。

純情であってほしいと思うが、それは吾郎の願望でしかない。吾郎より先に誰かのペニスをしゃぶっているのだ。そして、その後も誰かのペニスを咥えているかもしれなかった。

「俺って、そんなに大きいですか？」

黙っていられずに問いかける。

「はい……」

佳恵はぽつりと答えてから、頬を赤く染めあげた。

ほかの男のペニスを脳裏に思い浮かべたのではないか。佳恵が自分以外のペニスを見たことがあると思うだけで胸が苦しくなる。いやな気持ちになり、そこから先は想像することもできなかった。

「吾郎さんのは大きいです」

「そうですか……」

褒められても素直に喜ぶことができない。そんな自分がちっぽけに感じて、自己嫌悪に陥った。

「ほかの人のも、見たことがあるんですね」

「それは……」

佳恵が言いよどんで睫毛(まつげ)を伏せる。

こんなときに、ほかの男のことを聞かれたら、とまどうのは当然だ。頭ではわかっているが、胸がもやもやして黙っていられなかった。

「恋人がいたんですね」

またしても、よけいなことを言ってしまう。自分にも恋人はいたくせに、佳恵にいるのはいやだった。

「ふたりだけです。学生のときと……それに若女将になってから……」

佳恵は告白しながら、太腿のつけ根に両手を添える。

勃起したペニスのすぐ横だが、まだ竿には触れていない。期待が高まるとともにペニスが反り返り、新たな我慢汁が溢れ出した。

「ふたりも……」

「大学のときに先輩に告白されて、その人がはじめてでした」

意外にも佳恵は詳しく教えてくれる。

どうやら、ロストヴァージンは大学のときらしい。吾郎と出会うずっと前のことだが、それでも胸がチクリと痛んだ。

佳恵の指先が、太腿の根もとにそっと触れる。両脇から撫でられると、とたんに甘い刺激がひろがった。

「ううっ……」

「ふたり目は若女将になってからです。吾郎さんが東京に帰って、一か月後くらいでした」

「一か月後って、すぐじゃないですか」

思わず声が大きくなる。

吾郎はまだ佳恵のことが忘れられなかったころだ。それなのに、佳恵はすでに恋人を作っていたと思うとショックだった。

（やっぱり、俺のことなんて……）

共感はしたが、恋愛感情はなかったのだろう。

佳恵は同情からフェラチオしてくれたにすぎない。最初からわかっていたことだが、本人の口から聞かされると傷ついた。

「吾郎さんが帰ってしまったら、淋しくなってしまったんです。それで耐えられなくて……」

佳恵が言いにくそうに打ち明ける。

以前から、近所に住んでいる高校時代の同級生に言い寄られていたという。淋しさから受け入れて、交際をはじめたらしい。

「でも、やっぱり無理でした。吾郎さんを求めてしまったから……」

まったく予想していなかった展開だ。

まさか佳恵の口から、そんな言葉が出るとは思いもしない。佳恵は両手の指先で太幹の根もとを撫でつつ、熱い眼差しで見あげていた。

「それって、もしかして……」

吾郎は驚きを隠せず、佳恵の顔を見つめ返す。

ほとんど告白されているようなものではないか。いや、そんなはずはないと自分に言い聞かせる。糠喜びはしたくなかった。

「最後まで言わせる気ですか」

佳恵が唇を少しとがらせて、拗ねたようにつぶやいた。

「じゃあ、本当に……」

「もう、吾郎さんって鈍感なんですね」

指先で太幹の根もとをクニクニと刺激する。甘い刺激が股間から全身へと波紋のようにひろがった。

「ううッ……」

呻き声が漏れて、我慢汁がトクンッと溢れる。気持ちが通じ合っていた驚きと喜びが、快感を倍増させていた。

「で、でも、その人、まだ近所に住んでるんですよね」

　吾郎は気になっていたことを尋ねる。

　すでに別れたとはいえ、元カレが近くにいるのは気になった。佳恵にとっては終わった話でも、男のほうは未練があるかもしれない。再び言い寄ってくる可能性もあるのではないか。

「転勤で大阪に行きました。向こうで結婚したらしいので、帰ってくることはないと思います」

　佳恵のほっそりした指が、太幹の根もとにそっと巻きついた。

「そうですか」

「安心しましたか？」

　ささやくような声になっている。佳恵は目を細めると、唇の端に妖しげな笑みを浮かべた。

「べ、別に、心配してるわけじゃ……」

　図星を指されて、しどろもどろになってしまう。すると、佳恵は太幹に巻きつけた指を、軽く上下にスライドさせた。

「くうぅッ」

「気づいてましたか。わたしが昔の恋人の話をするたびに、ここがますます硬くなってるんですよ」

「そ、そんなはず……」

慌てて否定すると、佳恵は舌先を伸ばして裏スジをツツーッと舐めあげる。くすぐったさをともなう快感がひろがり、たまらず腰に震えが走り抜けた。

「そ、それ……き、気持ちいいです」

「これ、昔の恋人に教えてもらったんです」

佳恵の唇から信じられない言葉が紡がれる。まさか元カレとの情事を口にするとは思いもしなかった。

「ほら、また大きくなった」

「ウ、ウソですよ」

「本当ですよ。もう指がまわらなくなってます」

太幹を強くつかまれて、快感がふくれあがる。さらに裏スジを何度もくり返し舐められた。

「そ、そこばっかり……ううッ」

「どうして、こんなに大きくなってるんですか？」

「そ、それは……」

「もしかして、妬いてるんですか？」

佳恵がささやくたび、熱い吐息がペニスに吹きかかる。興奮と期待がこみあげて、我慢汁が次から次へと溢れ出した。

元カレの話を聞いて嫉妬したのは事実だ。きっとセックスもしたのだろうと思うと、悔しさがこみあげると同時に興奮した。誰にも触れさせたくないのに、すでに佳恵を抱いた男がいる。そのとき、佳恵はどんな声で喘いだのか、考えたくなくても想像してしまう。

「すごく硬いです」

「ううッ、そ、そこは……」

舌先がカリの裏側に到達する。チロチロとくすぐられて、尻が畳からビクッと跳ねあがった。

「やっぱり、ここも気持ちいいんですね」

佳恵は含み笑いを漏らすと、吾郎の反応が大きい部分を集中的に愛撫する。

舌先は張り出したカリの裏側に入りこんだ。唾液を塗りつけながら、ぐるりと一周する。おそらく、それも昔の男に教わったテクニックだ。甘い快感がひろがり、腰がガクガク震えてしまう。

「素敵です。吾郎さんのこれ……はむンっ」

ついに佳恵の唇が亀頭にかぶさる。ペニスの先端をぱっくりと咥えこんで、柔らかい唇がカリ首に密着した。

「くうウッ、よ、佳恵さんっ」

たまらず呻き声を振りまいてしまう。

熱い吐息が亀頭を撫でる。すぐさま舌が這いまわり、大量に付着した我慢汁を舐め取っていく。代わりに唾液をたっぷり塗りつけると、いよいよ首をゆったり振りはじめた。

「ンっ……ンっ……」

佳恵は鼻を微かに鳴らしながら、唇をヌルヌルと滑らせる。同時に口内では舌を器用に使って、亀頭をぐっしょり濡らしていた。

「もっと気持ちよくなってください」

佳恵はペニスを口に含んだまま、くぐもった声でささやく。そして、首を振るスピードをどんどんあげる。

「くおおッ、す、すごいっ」

吾郎は我慢できずに呻き声をあげる。

これ以上ないほど硬くなったペニスを、柔らかい唇でねちねちとしごかれるのは極上の快楽だ。我慢汁がどんどん溢れるが、佳恵はそれをすかさず嚥下してくれる。それがうれしくて、快感がさらにふくれあがった。

「ううウッ、き、気持ちいいっ」

「あふっ……むふっ……はふンっ」

佳恵は首をリズミカルに振って、次から次へを快感を送りこんでくる。

十年前の記憶を上回る快感が、四肢の先までひろがっている。ペニスをしゃぶられることで、全身が蕩けそうな快感に包まれた。

（佳恵さんが、また俺のチ×ポを……）

何度か妄想したことが現実になっている。

しかも、想像以上の快感がひろがり、我慢汁がドクドク溢れてしまう。早くも射精欲がふくれあがって、頭のなかがまっ赤に染まった。

「そ、それ以上は……くううッ」

訴えることで、佳恵はますます激しく首を振る。同時に頬が窪むほどペニスを吸いあげて、鮮烈な快感が股間から脳天に突き抜けた。

「おおおッ、で、出ちゃいますっ」

「はンッ……はンンッ」

佳恵の鼻にかかった声も興奮を誘う。

とにかく猛烈に首を振り、舌も使って尿道口を刺激している。唇で締めつける力に強弱をつけるのもたまらない。そして射精をうながすように、ペニスをジュルジュルと吸い立てた。

「くおおッ、も、もうダメですっ」

吾郎は尻の筋肉に力をこめて、なんとか快感を抑えこむ。だが、佳恵はさらに激しく首を振り、牡の欲望を追いこみにかかった。

「あふッ、出してっ、あンンッ、いっぱい出してくださいっ」

懇願するように言いながらペニスをしゃぶる。

すでに亀頭も竿も唾液でぐっしょり濡れていた。これほど美しい女性が、念入りに男根を舐めまわしてくれるのだ。しかも、男の欲望を煽(あお)るテクニックを身につけている。経験の浅い吾郎など、ひとたまりもなかった。

「うううッ、で、出るっ、出る出るっ、ぬおおおおおおッ！」

ついに雄叫(おたけ)びをあげながら精液を放出する。

頭のなかが紅蓮(ぐれん)の炎に包まれて、全身がバラバラになりそうな快感が勢いよく押し寄せた。射精している最中もペニスを吸われている。快感が快感を呼び、全身が凍えたように震えはじめた。

「おおおッ……おおおおおッ」

「あふううッ」

ふたりの声が重なった。

吾郎が射精をつづけている間、佳恵は眉を八の字に歪めながらも喉を何度もコクコク鳴らす。口内に注がれる側からザーメンを嚥下しているのだ。しかも吸引することを忘れないため、凄まじい快感が継続していた。

4

（す、すごかった……）

吾郎は快楽の余韻に浸っていた。

まさか佳恵にフェラチオしてもらえるとは思いもしなかった。信じられないことが現実になり、最高潮に興奮した。

射精欲をこらえようとしたが、まったく我慢できなかった。佳恵の積極的なフエラチオが、吾郎のガードを楽々と飛び越えた。あっという間に追いこまれて大量に射精してしまった。

それでもペニスは硬いままだ。

佳恵とひとつになりたい。フェラチオだけではなく、深い場所までつながって腰を振り合いたかった。

「すごく気持ちよかったです」

吾郎は体を起こすと佳恵に迫る。着物を纏ったままの身体を抱きしめて、唇を重ねた。

「吾郎さん……ンンっ」

佳恵は顔を上向かせてキスに応じてくれる。

だから、吾郎も大胆になっていく。唇の柔らかさに感動しながら、舌を伸ばして口内にそっと挿し入れる。彼女の舌をからめとり、唾液ごとジュルジュルと吸いあげた。

「あぁンっ……」

佳恵も甘い声を漏らして、舌を吸い返してくれる。吾郎の唾液をすすりあげると、さもうまそうに嚥下した。

（ああっ、最高だ……）

夢中になって佳恵の舌と唾液を味わった。

ディープキスを交わすことで、気分がどんどん盛りあがる。ペニスは射精した直後だというのに、萎える様子はない。それどころか、ますます硬くなって大きく反り返った。

（ここまで来たら……）

最後までいかなければ気がすまない。

相思相愛だということがわかったのだ。一刻も早く、身も心もひとつになりたかった。

ディープキスをたっぷり楽しむと、唇を離して着物の胸もとに手を伸ばす。双（ふた）つのふくらみを撫でまわすが、布地の上からではもどかしい。脱がそうと思って帯に手を伸ばした。

「待ってください」

佳恵が遠慮がちな声でつぶやいて身をよじる。そして、両手を吾郎の胸板にあてがうと、意外にも強い力で押し返した。

「お願いします。今はダメなんです」

困った表情を浮かべて、本気で抗っている。

先ほどは積極的にペニスをしゃぶってくれたのに、今さら抵抗する理由がわからない。吾郎はあきらめることができず、着物の上から乳房を揉みあげる。しかし、佳恵は吾郎の手首をつかんで抵抗した。

「い、いけません……」

「そんな、どうしてですか？」

強固な意志を感じて、とまどってしまう。吾郎は悲しい気持ちになり、乳房から手を離した。

「佳恵さん……」

わけがわからず佳恵の顔を見つめる。すると、佳恵はやさしくチュッと口づけしてくれた。

「ごめんなさい。そろそろ戻らないといけないんです。奈緒子さんのこともありますから……」

「少しくらい、いいじゃないですか」

吾郎がしつこく食いさがると、佳恵は悲しげな顔になってしまう。そして、首をゆるゆると左右に振った。

「絵里ちゃんにまかせっきりというわけにはいかないんです。廃業すると決まっていますが、わたしはまだ女将ですから……」

その言葉にはっとする。

佳恵は女将として、最後の大仕事に取り組んでいるのだ。奈緒子の件は、まだ解決の糸口が見えていない。夫がどうなっているのかわからない以上、絵里だけに任せておくのは確かに心配だ。

「そうですよね……わがままを言って、すみませんでした」

急に恥ずかしくなって頭をさげる。

まだ二十歳の絵里が、奈緒子の相手をしているのだ。いつも明るく振る舞っているが、不安がないはずがない。

（それなのに、俺は……）

自分がひどく子供じみている気がした。

佳恵は女将の仕事があるのに、吾郎につき合ってくれたのだ。わがままを言って困らせるわけにはいかなかった。

「俺のためにお時間を取っていただき、ありがとうございました」

吾郎はきちんと正座をすると、あらたまって礼を言う。そして、頭を深々とさげた。

「吾郎さん……」

「絵里ちゃんが待っています。きっと奈緒子さんも待っていますよ。早く行ってあげてください」

「でも……」

いざとなると、佳恵のほうが躊躇する。

もしかしたら引きとめてほしかったのだろうか。迷いながらも、女将として振る舞おうとしていたのかもしれない。ほんの少しでも葛藤する気持ちがあるだけでうれしかった。

「俺が佳恵さんを……女将さんを独り占めするわけにはいきません」

吾郎は自分の気持ちを抑えて語りかける。

本当はいっしょにいたい。佳恵を独占したい。だが、佳恵には女将としての矜持がある。本気で想っているからこそ、仕事を全うしてもらいたい。邪魔をしたくなかった。

「はい……ありがとうございます」

佳恵も正座をして背すじを伸ばすと、表情を引きしめた。

どこからどう見ても、老舗旅館の女将だ。つい先ほどまで、大胆なフェラチオをしていたとは思えなかった。

（俺も、いつか……）

愛する女性の背中を見送りながら、吾郎は心のなかでつぶやいた。

誰かを助けられる男になりたい。誰かに頼られる立派な人になりたい。心の底からそう願った。

第五章　十年目の交わり

1

翌朝、スマホのアラームが鳴る前に目が覚めた。

午前十時のチェックアウトになったら、この宿を出て札幌に帰らなければならない。それを思うと胸がせつなく締めつけられた。

吾郎は最後の客だ。

これで温泉宿かたおかは廃業になることが決まっている。そのあと、佳恵はどうするつもりなのだろうか。

昨夜、もっとこういう話をするべきだった。しかし、フェラチオの快楽に流されて聞きそびれてしまった。

　いや、佳恵は意識して、その話題を避けていたのではないか。今にして思うと廃業のことを打ち明けた時点で、今後の話が出るのが自然な気がする。だが、佳恵はいっさい触れようとしなかった。

　フェラチオをする前に、話す機会はあったはずだ。やはり、あえて話さなかったとしか思えない。

（なにも決まっていないのかもしれないな……）

　旅館を立て直すために必死だったのだから、今後のことを気にする余裕などなかったのだろう。

　——あのときと同じ気持ちになりたいんです。

　ふと佳恵がフェラチオする前につぶやいた言葉を思い出した。

　あのときの口ぶりだと、昔のようにがんばることができないようだった。家業の旅館を閉めることになったのだから、落ちこむのは当然だ。しかし、佳恵にしては弱気だった気がする。

（なんだか、心配だな）

　最後の客である吾郎が帰ったあと、さらに気持ちが落ちるはずだ。

チェックアウトする前に少しだけでも話がしたい。こちらから提案して、なんとか時間を作ってもらうしかないだろう。急いで顔を洗うと、朝食を摂るため大広間に向かった。

一階に降りると、静かな廊下を早歩きで進んでいく。開いたままの襖から大広間をのぞくと、奥に置いてあるお膳の前に奈緒子が正座をしていた。

浴衣ではなく洋服を着ている。白いブラウスに黒のスカートだ。着の身着のまま飛び出したのに、来たときと服が違うということは、佳恵に借りたのかもしれない。

そして、奈緒子のかたわらには佳恵の姿があった。

やはり正座をしており、なにか言葉を交わしていたようだ。ただ昨日のように深刻な感じではない。奈緒子の表情はやや硬いが、それでも悲愴感は漂っていなかった。

「おはようございます」

吾郎は入口に立ったまま、普通に挨拶をした。

一瞬、迷ったが、黙って立ち去るほど緊迫した空気ではない。挨拶くらいはしたほうがいいと思った。

「おはようございます」

すぐに佳恵が笑みを向けてくれる。しかし、緊張しているのか、少し表情が硬い気がした。

「おはようございます。お騒がせして申しわけございません」

奈緒子も挨拶をして、丁寧に頭をさげる。

昨日までとは明らかに様子が違う。笑みを浮かべる余裕もある。なにか進展があったのかもしれない。

「いえいえ、お気になさらないでください。あの……俺は部屋で食べたほうがいいですか？」

もしかしたら、お邪魔かもしれないと思って自分から申し出る。すると、奈緒子は首を小さく左右に振った。

「いてくださって大丈夫です。すべて解決しました」

なぜか晴れ晴れとした表情になっている。

いったい、どういうことだろうか。不思議に思いながらも大広間に足を踏み入れる。そして、奈緒子の隣に置かれたお膳の前で胡座(あぐら)をかいた。

「昨夜、奈緒子さんの旦那さんと連絡が取れたんです」

佳恵が補足説明をしてくれる。声のトーンは落ち着いているが、佳恵にしてはめずらしく早口になっていた。

「えっ、無事だったんですか」

ついよけいなことを口走ってしまう。だが、奈緒子は気を悪くした様子もなく、柔らかい笑みを浮かべた。

「はい、怪我はありますが無事でした。ご心配おかけしました」

ほっとしたのか涙ぐんでいる。

夫とやり直す決意が固まっているのだろう。吾郎もほっとして自然と笑みを浮かべていた。

「よかったじゃないですか。ああっ、それはよかった」

しゃべっているうちに実感が湧きあがる。どんな言葉をかければいいのかわからず、とにかく「よかった」を連発した。

なにしろ、当初は夫を殺してしまったと言っていたのだ。それが、どういう経緯かまだ知らないが、無事だったと聞いて安堵した。

「わたし、怖くて連絡できなかったんです。でも、女将さんが絶対に電話したほうがいいって、熱心に説得してくれたんです」

奈緒子が昨夜のことを説明してくれる。

おそらく、佳恵は吾郎の部屋をあとにして、まっすぐ奈緒子のもとに向かったのだろう。そして、電話をするように奈緒子を諭したのだろう。

夫を殺してしまったと思いこんでいたので、奈緒子が躊躇する気持ちは理解できる。しかし、怖がっているだけでは前に進めない。まずは夫がどういう状態なのかを確認する必要があった。

「それで、思いきって電話をかけることにしたんです。そうしたら、ちょうど夫のほうから、かかってきたんです」

奈緒子がうれしそうに報告する。

夫は頭を打って、気を失っていただけだった。奈緒子が出ていってしばらくしてから、自然と意識が戻ったようだ。

出血していたため、自力で病院に行って検査を受けた。その際、妻に迷惑をかけないように、ひとりで転倒したと説明したらしい。一泊しての検査で命に別状はないと診断されたという。

「夫も電話をするのを迷ってたみたいで……わたしが、怒っていると思っていたらしいです」

「それで連絡が遅くなったんですね」

吾郎は納得してうなずいた。

検査入院していたこともあるが、旦那も電話をかける勇気がなかなか出なかったのだろう。自分が悪いと思って反省している証拠ではないか。今からでもやり直せば、きっとうまくいく気がした。

「はい。浮気のことも反省して、二度としないって誓ってくれました。今こちらに向かっているところなんです」

「旦那さんがここに来るんですか?」

「怪我をしてるんだから来なくていいって言ったんですけど、どうしても迎えにいかせてくれって」

旦那は函館から列車でこちらに向かっているらしい。そして、奈緒子を連れてすぐに帰るという。

「よかったじゃないですか」

「はい……いろいろお世話になりました」

奈緒子があらたまった様子で頭をさげる。

そのとき、吾郎にだけ見えるように、唇の端にかすかな笑みを浮かべた。きっと、あの夜のことを含めて、お礼を言っているのだろう。吾郎にはそれがすぐにわかった。

「いいえ、俺はなにも……ただ、話を聞いただけですから」

とっさに当たり障りのない言葉を返す。

佳恵に悟られるわけにはいかない。嘘（うそ）をつくのは心苦しいが、どうしても耳に入れたくなかった。

「吾郎さんに、たくさん愚痴を聞いてもらったんです。おかげで、少し気が楽になりました」

奈緒子は佳恵に説明すると、再び吾郎に向かって頭をさげる。

「その節は、どうもありがとうございました」

「いえいえ……」

苦笑を漏らすことしかできない。ただセックスしただけで、礼を言われるようなことはしていなかった。

「吾郎さんは、昔からやさしいんです。わたしもずいぶん相談に乗ってもらいました」

佳恵が褒めてくれる。

さらに心苦しくなってしまうが、ここは嘘をつき通すしかない。奈緒子が協力してくれるのはありがたかった。

「女将さんと吾郎さん、お似合いだと思います」

ふいに奈緒子が驚きの言葉を口にする。吾郎と佳恵はなにも言えなくなって黙りこんだ。

「あら、わたし、おかしなことを言いましたか？」

奈緒子は小声でつぶやき、ふたりの顔を交互に見やる。そして、楽しげに目を細めた。

「と、突然、なにを……」

なんとかごまかそうとするが、それ以上、言葉がつづかない。奈緒子はどうして気づいたのだろうか。

「どうして……」

佳恵も疑問を口にする。確かにふたりは相思相愛だが、それを誰かに伝えたわけではなかった。

「雰囲気でわかりますよ。男と女ですもの。つき合いが長くなればなるほど、いろいろあるのは当然ですよ」

「いろいろって……吾郎さんはお客さまですから……」

佳恵が困惑の声を漏らして、なにげなく口もとに手を当てる。

もしかしたら、昨夜のことを思い出したのかもしれない。ふだんは純情そのものだが、大胆にペニスをしゃぶってくれた。そのギャップが魅力で、吾郎は大量に射精してしまった。

「女将さんも吾郎さんも、まっ赤になってますよ。本当におふたりは仲がいいんですね」

「か、からかわないでくださいよ」

吾郎は佳恵を守るつもりで反論する。しかし、今さらごまかすことはできそうになかった。

「あれ、なんかずいぶん楽しそうですね」

唐突に絵里の元気な声が響きわたる。

二名分の朝食を、ワゴンに載せて運んできたところだ。先に佳恵が作っておいた料理を、絵里が盛りつけをしたという。絵里が現れたことで、場の空気がさらに明るくなった。

「絵里ちゃん、ありがとう。手伝うわ」

佳恵がすかさず立ちあがる。奈緒子の追及をうまく躱すことに成功した。

「女将さん、行っちゃいましたね」

奈緒子は楽しそうに笑っている。

夫が迎えに来てくれるのが、よほどうれしいのだろう。眩いほどの笑顔を見ていると、こちらまで心から幸せな気分になる。愛の力はこんなにも偉大なのだと実感した。

朝食を食べはじめると来客があった。

「すみません」

正面玄関のほうから男性の声が聞こえる。

どうやら、奈緒子の夫が迎えに来たらしい。給仕をしていた佳恵が、すかさず立ちあがった。

「わたしが行きます。絵里ちゃんはここをお願いね」

佳恵は急いで玄関に向かう。

奈緒子はうれしそうにしながらも少し緊張している。怪我をさせてしまったのだから、そのことを気にしているに違いない。

「迎えに来てくれたんだから大丈夫ですよ」

絵里が安心させるように声をかける。すると、奈緒子は微笑を浮かべて、こっくりとうなずいた。

(俺も、がんばらないと……)

吾郎は内心焦りを感じている。

奈緒子は元鞘(もとさや)に収まりそうでよかったが、吾郎はいまだに佳恵と話すことができずにいた。

奈緒子の夫が迎えに来たことで、佳恵はしばらく対応に追われるだろう。このまま、ふたりきりの時間は取れそうになかった。

「絵里ちゃん、俺、すぐにチェックアウトするよ」

思いきって絵里に話しかける。

ぎりぎりまで残っていても、自分にできることはなにもない。最後まで女将としてがんばっている佳恵の邪魔をしたくなかった。

「もう帰っちゃうんですか」

絵里が淋(さび)しげな声を漏らす。瞳には涙さえ浮かんでいた。

「縁があれば、きっとまた会えるよ」

言葉にすることで実感する。

なにしろ、佳恵とは十年ぶりの再会だった。それでも心を通わせることができたのだ。

縁があれば、何度でも再会できる。

とはいえ、吾郎はいずれ東京本社に戻る予定で、そうなれば佳恵とまた距離ができてしまう。不安がないと言えば嘘になる。だが、自分と佳恵には縁があると信じるしかなかった。

2

客室に戻ると、すぐに荷物をまとめた。

一階に降りて玄関に向かう。すると、佳恵と絵里が待っていた。奈緒子と夫は大広間にいるらしい。

「こんなに早く発つのですか」

佳恵の声はひどく淋しげだ。

まだ午前九時前だ。こんなに早く帰るとは思っていなかったのだろう。佳恵は眉を八の字に歪めている。そんな顔をされると抱きしめたくなるが、ぐっとこらえて笑みを浮かべた。

「はい。もう行きます」

あえて軽い口調であっさり告げる。

永遠の別れにしたくない。おおげさに別れを惜しむと、二度と会えない雰囲気になりそうだ。それを避けたくて、笑顔で手を振ろうと決めていた。さらりと去り、なるべく早く再会するつもりだ。

「佳恵さん、絵里ちゃん、お元気で」

ふたりの顔を見ると、熱いものが胸にこみあげる。

「島崎さま……」

絵里はすでに泣いている。危うくもらい泣きしそうになり、慌てて腹に力をこめた。

「では、また会いましょう」

さようならとは言わない。またすぐに会えると心のなかでくり返した。

「お元気で……」

佳恵は涙を浮かべながら、それでも無理をして微笑（ほほえ）んだ。

吾郎の考えを察したのかもしれない。さようならとは口にせず、涙をこらえて手を振ってくれた。

振り返らずに歩きはじめる。宿から外に出ると、呼んでおいたタクシーに乗りこんだ。

「登別の駅までお願いします」

タクシーが走り出しても、宿からの視線を感じた。

振り返ると、佳恵と絵里が手を振っているのが見えた。

吾郎も大きく手を振り返す。すると、懸命にこらえていた涙が溢れ出した。慌てて手で拭っているうちに、タクシーはカーブを曲がり、ふたりの姿は見えなくなっていた。

「お客さん、よっぽど楽しかったんですね」

年配の運転手が、バックミラーごしに吾郎を見やった。

薄くなった頭髪に、なんとなく見覚えがある。偶然にも、行きに乗ったタクシーと同じだった。

「いい宿なんですけどね……もったいないなぁ」

運転手はしみじみした口調でつぶやいた。

どうやら、廃業のことを知っているらしい。客商売なので、自然と情報が集まるのかもしれない。

「昔は繁盛してたんだけどね。わたしも、ずいぶんお客さんを乗せましたよ」

運転手はひとりでしゃべりつづけている。

余韻に浸りたいが、いっこうに黙る気配がない。わざとつまらなそうな顔をして、窓の外に視線を向ける。静かにしてほしいという無言の抗議だが、まったく気づく様子がなかった。

「あの宿、聞いた話だと、なんでも人手が足りてないそうですね」

「そうみたいです」

仕方なく返事をする。なるべく会話をひろげたくないので、短く答えるだけにとどめた。

「あとひとりいれば、なんとかなるのに、本当にもったいないですよ。あんな立派な老舗旅館がつぶれちゃうんだから」

「えっ、今なんて言いました？」

思わず前を向くと、背もたれから体を起こす。乗り出すようにして、運転手に話しかけた。

「老舗旅館でもつぶれるんだなって――」

「そうじゃなくて、その前ですよ」

つい声が大きくなってしまう。聞き間違いでなければ、今からでも遅くないかもしれなかった。

「もうひとり従業員がいれば、なんとかなるって話ですかね」

「そう、それです。詳しく教えてください」

「ちょっと前の話だから、今はどうなってるか知りませんよ。あそこの女将さんを乗せたことがあって、そのときに話していたんです。もうひとり従業員がいればまわせるのに、給料を払えないから雇えないって……」

それは初耳だ。

ここ数か月は佳恵と絵里のふたりで切り盛りしていたが、だいぶ無理があったようだ。客は吾郎と奈緒子しかいないのに、やっとの状態だった。

しかし、もうひとり従業員がいれば、確かにだいぶ違うだろう。佳恵は調理師免許を持っているので、以前のものとは異なるが料理を提供できる。絵里の愛想のよさは接客に向いていた。

「無給で働く人なんているはずないから、どう考えても無理なんですけどね」

運転手はそう言って笑った。

だが、決して無理な話ではないと思う。実際、絵里は無給で働いている。住みこみで食事が出るのだから、最低限の生活はできるはずだ。

（あとひとり確保できれば……）

吾郎は必死に考えた。

温泉旅館かたおかを再生する道があるかもしれないのだ。生活に困っている人なら、住みこみで働いてくれるかもしれない。しかし、接客業なので、きちんとした人でなければならなかった。

そうやって考えると、確かに簡単なことではない。きちんとした人は、当然ながら給料が出る会社で働くだろう。無給で募集をかけたところで、優秀な人材を確保できるとは思えなかった。

悩んでいるうちに、タクシーは登別駅に到着した。

タクシーを降りると、駅のホームに向かった。ベンチに腰かけて考える。なにかいい手はないだろうか。

宿はもうすぐ廃業してしまうのだ。だが、佳恵は余裕がなかったので、廃業に関するさまざまな手続はこれからに違いない。まだ少しだけ時間が残されている気がした。

（考えるんだ。なにか手はあるはずだ……）

懸命に頭を働かせる。

手助けをしたい。佳恵の力になりたい。心から願うが、そう簡単に解決策が見つかるはずもなかった。

数か月後、吾郎は東京本社に戻る予定だ。

本当なら本社復帰はうれしいことだが、今は戻りたくなかった。北海道でやり残したことがある。こんな中途半端な状態で投げ出すのは不本意だ。いつ辞令がおりるのか、今から不安でならなかった。

3

一か月後、吾郎は決意を秘めて札幌駅のホームに立っていた。

正月休みが明けると、早々に東京本社へ異動する辞令がおりた。思っていたよりも早かったが、おかげで迷うことはなかった。

大きなキャリーバッグを引いて、新千歳空港行きの快速エアポートに乗りこむと窓際の席に座った。

やがて列車がゆっくり動き出す。雪化粧を施した札幌の街を見つめて、さようならと心のなかでつぶやいた。

約二時間後、吾郎は駅のホームに降り立った。

冷たい風が吹き抜けて、思わずブルッと身震いする。これは武者震いだ。人生でもっとも重大な決意をした。不安がまったくないと言えば嘘になるが、気持ちは充実していた。

駅の看板には「登別」の文字が見える。

そう、ここは登別駅だ。札幌から登別駅に向かう場合、快速エアポートに乗って途中で乗り換えるのが早かった。

辞令がおりて、すぐに会社を辞める旨を伝えた。

東京本社への復帰ではなく、温泉旅館かたおかを再生する道を選んだ。すべてを擲(なげう)ってでも、佳恵の手伝いをしたいという気持ちを抑えられなかった。そして、住みこみの仲居として働く決意を固めたのだ。最近は男性の仲居も多いらしいので、とくに問題はないだろう。

しばらく給料は出ないが、三食まかないつきだ。なにより、佳恵の近くにいられるだけでよかった。

しかし、東京本社に戻る予定だったので、東京で住んでいたアパートはそのまま残していた。土日の休日に上京して、部屋のかたづけと引っ越し準備、各種の手続きなどで忙しかった。

そして今日、ようやく登別に帰ってきた。

会社を辞めて手伝うことは、前回の帰りの列車のなかで決意した。ずいぶん悩んだが、心が決まると不思議と気持ちが楽になった。

札幌に到着すると、すぐ佳恵に電話をかけて考えを伝えた。力を合わせて旅館をつづけようと提案した。

ところが、佳恵はすぐに受け入れてくれなかった。吾郎の人生を変えてしまうのを恐れていた。そこまでしてもらうのは申しわけないと、考え直すようにうながされた。

しかし、吾郎は粘り強く説得をつづけた。佳恵もできれば引き継いだ旅館をつづけたい気持ちがあった。そして、ようやく吾郎といっしょに、温泉旅館かたおかを再生することに了承してくれた。

もちろん、絵里も引きつづき仲居として働くことになる。絵里は行き場のない身だ。心から慕っている佳恵のサポートをすることを望んでいた。

吾郎はまだ仕事があり、引っ越しの準備もしなければならないので、登別に行くことはできなかった。旅館の今後のことは、電話やメールで打ち合わせを何度も重ねた。

（よし、行くか……）

登別駅からタクシーに乗り、温泉旅館かたおかに向かう。

温泉街を通り過ぎて、さらに山奥へと入っていく。やがて現れた雪のなかに立つ古い建物は、堂々としていて圧倒される。この旅館を絶対につぶしてはならないと心を新たにした。

タクシーを降りると、正面玄関に向かう。雪が積もっているので、キャリーバッグを引くことはできない。右手にぶらさげて、滑らないように注意しながら進んだ。

まだ旅館は営業していない。この際なので、ふだんはできない大掃除や改装をすることになった。すでに佳恵と絵里がふたりで準備を進めており、そこに吾郎も加わることになっていた。

引き戸に手をかけると、鍵はかかっていなかった。

ガラガラと開いて、足を踏み入れる。とたんに懐かしい光景が目に入り、胸が熱くなった。受付に長い廊下、立派な太い柱も覚えている。しかも、どこもかしこもピカピカに磨きあげられていた。

「こんにちは……」

奥に向かって声をかける。

すると、着物に割烹着(かっぽうぎ)をつけた佳恵が現れた。吾郎の顔を見るなり、うれしそうな笑みを浮かべる。

「吾郎さん、ありがとうございます」

「お世話になります」

頭をさげて挨拶した。すると、佳恵が両手を伸ばして、吾郎の手をしっかり握りしめた。

「なに言ってるんですか。これからは仲間じゃないですか。他人行儀な挨拶はなしにしましょう」

「はい……佳恵さん」

抱きしめようとしたときだった。廊下の奥から足音が聞こえて、ふたりは慌てて手を離した。

「おかえりなさいっ」

絵里がにこにこ笑いながら駆け寄ってきた。

臙脂色の作務衣を着ており、ピョンピョンと何度も飛び跳ねる。愛嬌があっていつでも元気いっぱいだ。お客さんが増えれば、きっとかわいがってもらえるに違いなかった。

「絵里ちゃん、廊下は走らないでね。ジャンプも禁止よ」

佳恵が注意すると、絵里はすぐに飛び跳ねるのをやめる。それでも楽しげに笑っていた。

「絵里ちゃん、ただいま」

吾郎も飛び跳ねたいのをこらえて挨拶する。

これから三人で力を合わせて旅館を切り盛りするのだ。もちろん、大変なことばかりだと思う。だが、どん底からのスタートなので、必死に這いあがっていくだけだ。経営が軌道に乗れば、新たに人を雇うこともできるだろう。ここから先は夢と希望しかなかった。

「三人、そろいましたね。今日はゆっくりして、明日から開業に向けてがんばりましょう」

佳恵が手料理を用意してくれたという。ふたりに連れられて、吾郎は大広間に向かった。

4

吾郎の歓迎会が行なわれた。

おいしい料理を食べて、お酒も少しだけ飲んだ。絵里はそうそうに寝てしまったので、一階の奥にある住みこみ従業員用の部屋に連れていった。佳恵の部屋も並びにある。

以前は旅館の裏手に建っている一軒家で、両親といっしょに暮らしていたという。だが、従業員が次々と辞めて、人手が足りなくなったため、佳恵も旅館に住みこむようになったらしい。

「ところで、俺はどこに住めばいいんですか?」

絵里を寝かしつけると、吾郎は佳恵に尋ねた。

「ここです」

佳恵が隣のドアを開け放った。

そこは佳恵の部屋だ。不思議に思うが、導かれるままなかに入ると、段ボール箱がたくさん積みあげてあった。それは吾郎が事前に送った引っ越し荷物だ。なぜか佳恵の部屋に運びこまれていた。

「どうして、ここに……」

尋ねている時点で期待がふくれあがる。

「狭いけど、大丈夫ですか？」

佳恵が恥ずかしげにつぶやく。

確かに、それほど広い部屋ではないが、そんなことは関係ない。佳恵といっしょに暮らせるのなら最高だ。

「もちろんです。佳恵さんと同じ部屋がいいです」

思わず前のめりになって答えた。

同じ部屋で暮らせば、ふたりの距離は一気に縮まる。佳恵もそれを望んでいるということだ。ついに一線を越えるかもしれない。今度こそ抱きしめようと思って、ゆっくり歩み寄った。

「温泉に入りませんか」

佳恵はにっこり微笑んだ。

温泉と聞いて、吾郎は動きをとめた。十年前のことを思い出す。あのときは大浴場でペニスを咥えてもらった。まだ童貞だった吾郎にとって、衝撃的な最高の快楽だった。

もしかしたら、佳恵はあのときの再現を考えているのではないか。そんな気がしてペニスがズクリと疼いた。

「そうですね。久しぶりに温泉に入ってきます」

吾郎は平静を装ってつぶやく。そして、キャリーバッグから着がえとタオルを取り出した。

一階なので、部屋を出れば大浴場はすぐそこだ。

脱衣所で服を脱ぐと、浴室に入って木の桶でかけ湯をする。乳白色の湯と硫黄泉の強烈な香りが懐かしい。さっそく浴槽に浸かると、両手で湯を掬って顔をバシャバシャと流した。

(確か、十年前も……)

あえて脱衣所に背を向けて待ちつづける。

しばらくすると、引き戸を遠慮がちに開ける音がした。誰かが入ってくる気配がする。近づいてくるのがわかり、ゆっくり振り返った。

「ごいっしょしても、いいですか?」

裸体に白いバスタオルを巻きつけた佳恵が立っていた。

黒髪を結いあげており、バスタオルの縁が乳房にめりこんでいる。裾はミニスカートのようで、むっちりした太腿が剝き出しだ。

十年前と同じ、いや、あのとき以上に魅力的な佳恵がいる。しかも、今回は吾郎がいるとわかっていながら入ってきたのだ。

「どうぞ……」

吾郎は緊張ぎみにつぶやいた。

「失礼します」

佳恵はバスタオルを取ると、片膝をついてかけ湯をする。

たっぷりした乳房と桜色の乳首が露になった。股間に茂っている濃厚な陰毛もまる見えだ。そこに湯がかかってぐっしょり濡れて、白い恥丘にぴったりと貼りついた。

（こ、これが、佳恵さんの……）

吾郎は思わず生唾をゴクリと飲みこんだ。

十年前はほんの一瞬、見えただけだが今は違う。なにしろ、佳恵は頬を赤く染めながらも、裸体を隠すことなくかけ湯をしているのだ、

（見てもいいってことだよな）

遠慮せずに凝視する。

やはり視線に気づいているはずなのに、佳恵は裸体を隠さなかった。

まだ触れてもいないのに、乳首は充血して硬くとがり勃っている。乳輪までドーム状にぷっくりとふくらんでいた。澄ました顔をしているが、興奮しているのは明らかだ。

（どうして、こんなに罪な身体をしてるんだ……）

ふだんは純情な女将だが、着物を脱ぐと一転して淫らになる。

男の欲情を煽る身体だけではなく、彼女自身も昂っていくようだ。ふだんとのギャップがあるため、なおさら惹きつけられてしまう。吾郎は完全に佳恵の虜になっていた。

佳恵が乳白色の湯につま先をつける。

すっと伸ばした足の指が、湯のなかにゆっくり沈んでいく。そのシーンがあまりにも幻想的で、思わず見惚れてしまう。まるでスローモーションのように、脳裏に刻みこまれた。

「はンンっ……」

裸体を乳首のすぐ上まで沈めると、佳恵は気持ちよさそうな声を漏らす。

乳白色の湯で裸体を隠すことができるのに、なぜか彼女は肩までしっかり浸からない。乳首はかろうじて隠れているが、乳房の上半分は見えている。双つの柔肉が作る谷間が思いきり露出していた。

「吾郎さん、来てくれて本当にありがとうございます」

佳恵は肩が触れそうなほど近くまでやってくる。

「い、いえ……こちらこそ、受け入れてくれてありがとうございます」

吾郎も緊張ぎみに礼を言う。

互いに感謝し合うと、視線を重ねて思わず笑った。見つめ合うだけで、穏やかな気持ちになれる。相性がよいのだろうか。とにかく、運命の人に出会ったのだと本気で思えた。

「佳恵さん、好きです」

ストレートな言葉で気持ちを伝える。

もっとお洒落な告白があるのかもしれないが、まわりくどい言いかたは得意ではない。それより、この胸の熱い想いを届けたかった。すでに互いの気持ちはわかっているが、自分の言葉で交際を申しこみたい。

「俺とつき合ってください」

力が入りすぎて、つい声が大きくなってしまう。

大浴場の壁に反響するのが恥ずかしい。それでも、吾郎は赤面しながら彼女の目をまっすぐ見つめた。

「うれしい……ありがとうございます。ぜひ、お願いいたします」

佳恵は頰をぽっと赤らめる。

こういうところは純情そのものだ。しかし、乳白色の湯のなかでは、手を伸ばしてペニスをそっとつかんでいた。

「うっ……よ、佳恵さん」

「やっぱり大きくなってます」

佳恵が楽しげにつぶやき、吾郎の顔をのぞきこんだ。

じつは佳恵が現れる前から勃起していた。きっと現れるだろうと思うと、期待と興奮を抑えることができなかった。

告白するときに勃起していたら、本気かどうか疑われるところだ。だが、佳恵は気を悪くすることはない。それどころか、うれしそうに目を細めて、指を太幹に巻きつけていた。

「期待していたんですか？」

佳恵が耳もとに唇を寄せてささやく。熱い吐息が耳孔（じこう）に流れこんで、ゾクゾクするような感覚が押し寄せた。

「ううっ……」

「わたしは期待していました。吾郎さんが、ここを硬くして待っているかもしれないって……」

そう言いながら、湯のなかでペニスをしごきはじめる。

ゆったり擦られて甘い快感がひろがり、同時に浴槽の湯がチャプチャプと音を立てた。

「よ、佳恵さんも期待してたんですか？」

「はい……確かめてもらえますか」

佳恵はペニスを擦りながら、からみつくような視線を送る。

この状況で冷静さを保っていられるはずがない。吾郎は湯のなかで手を伸ばして、彼女の股間をまさぐった。

陰毛がワカメのように揺れる恥丘に手のひらを重ねて、指先を内腿の隙間に滑りこませる。すぐに柔らかい部分を指先に感じた。陰唇に間違いない。女体がピクッと反応して、佳恵の唇が半開きになった。

「はンンっ……」

軽く触れただけだが、感じているのだろうか。

指先を割れ目に沿って動かすと、女体に微かな震えが走った。それと同時に湯とは異なるヌメリがあることに気がついた。陰唇の狭間に触れると、明らかにヌルヌルしている。

「これって、もしかして……」

吾郎は指を慎重に動かしながら佳恵の顔をのぞきこむ。表情の変化を確認しながら触るつもりだった。ところが、すでに佳恵は色気たっぷりの表情を浮かべていた。

「ああンっ、恥ずかしいです」

訴える声に媚びが含まれている。

すでに女体の準備は整っているらしい。ペニスを握る手に力がこもり、しごくスピードがアップした。

「ううっ、つ、強いです」

「はあンっ、だ、だって……吾郎さんが触るから……」

佳恵の声がどんどん乱れていく。

十年前は吾郎をフェラチオで骨抜きにしたのに、今は佳恵もあからさまにペニスを欲していた。

急に性欲が強くなったわけではない。これまでは女将として、一線を越えないように注意していたのだろう。でも、いっしょに住むことになり、我慢する必要がなくなったのではないか。

（そういうことなら……）

吾郎も我慢するつもりはない。

浴槽のなかで佳恵の腰に手をまわすと、いっしょに立ちあがる。そして、浴槽の縁に座るように佳恵を誘導した。

「なにをするんですか？」

湯に濡れた女体が美しく輝いている。

まるみを帯びた乳房から湯が滴り落ちて、露出した恥丘には濡れた陰毛が貼りついていた。膝をぴったり閉じているところに恥じらいを感じるが、股間の奥が華蜜まみれになっていることを知っている。

「十年前のお返しですよ」

吾郎は彼女の正面にまわりこむと、両手を膝にかけた。左右に開けば、白い内腿のつけ根が露になる。ついにサーモンピンクの陰唇が剝き出しになった。

（おおっ……）

思わず腹の底で唸るほど神々しい。

陰唇はまったく形崩れがなく、美しい色と形を保っている。淫らな行為になると積極的なので、過去の恋人とかなりの回数をこなしていると思っていた。ところが、女性器を見る限り、むしろ経験は少ないのではないか。

「は、恥ずかしいです」

佳恵は下肢を大きく開いた格好で、顔をまっ赤に染めている。

男を悦ばせるために、恥じらっているフリをしているのではない。本気の羞恥で腰をよじっている。それでいながら、陰唇の狭間からは透明な汁がジクジク湧き出していた。

本当は経験が浅いのかもしれない。性欲が強いのは確かだが、実際に男と交わる回数は少なかったのだろう。その証拠に亀頭を陰唇に押し当てると、怯えたように女体が震えた。

「ま、待ってください……お願いですから、ゆっくり……」

佳恵が濡れた瞳で懇願する。

「わかりました。挿れますよ……んんっ」

ゆっくり腰を押し進めると、亀頭がヌプリと陰唇の狭間に沈みこむ。とたんに膣口が収縮して、カリ首を猛烈に締めつけた。

「はあああッ、お、大きいっ」

「ぬううッ、す、すごいっ」

佳恵の喘ぎ声と吾郎の呻き声が重なった。

やはり膣は濡れているわりには狭くて硬い。経験回数が少ないに違いない。吾郎は慎重にペニスを前進させて、根もとまでぴっちり挿入した。

「あううッ……ふ、深いです」

佳恵は浴槽の縁に座り、両手を背後の床についている。顎を少しあげて、ハアハアと喘いでいた。

「全部、入りましたよ」

吾郎は彼女の両脚を脇に抱えた状態だ。股間を突き出して、熱い媚肉の感触を堪能していた。

ついにふたりはひとつになった。

出会ってから、じつに十年という月日が経っていた。憧れの女性とこうして肌を重ねている。まさかこんな日が来るとは思いもしなかった。

「佳恵さん、好きです……大好きです」

愛をささやきながら腰を振る。その言葉を裏づけるように、膣のなかでペニスがさらにひとまわり大きくなった。

「ああァッ、わ、わたしも……わたしも好きです」

佳恵も悶えながら応じてくれる。それがうれしくて、自然と腰を振るスピードが速くなった。

「あッ……あッ……」

目の前で大きな乳房がタプタプ揺れている。

吾郎は欲望のままむしゃぶりつき、乳首を口に含んで舐めまわす。すると、膣の締まりが、さらに強くなった。

「くううッ、き、気持ちいいっ」

「ああッ、わたしも、はああンッ、吾郎さんっ」

佳恵が喘いでくれるから、ますますピストンに熱が入る。

吾郎は女体をしっかり抱きしめると、股間をガンガン打ちつけた。ペニスを高速で出し入れして、カリで膣壁を何度も擦りあげた。

「あぁッ、あああッ……ご、吾郎さんっ」

佳恵が両手を伸ばして吾郎の首にかける。そして、せつなげな表情でキスをねだった。

唇を重ねると、そのままディープキスに移行する。上と下の口でつながることで、快感は二倍にも三倍にもふくれあがった。

「おおおおッ、も、もう出ますっ」

「あああッ、出して、いっぱい出してくださいっ」

佳恵の声が引き金となり、一気に欲望が爆発する。

我慢するつもりはない。ペニスを根もとまでたたきこむと、熱い媚肉を感じながら射精を開始した。

「おおおおおッ、出る出るっ、ぬおおおおおおおおッ！」

雄叫(おたけ)びをあげて、ザーメンを放出する。膣肉が驚いたように波打ち、太幹を締めつけるのが気持ちいい。頭のなかが沸騰しそうな快楽のなか、思いきり精液をぶちまけた。

「はあああッ、い、いいっ、あああぁッ、イクッ、イクうううッ!」

あの佳恵が絶頂を告げながら昇りつめていく。快楽に溺れてペニスを締めつけると、女壺をビクビクと痙攣させた。

己のペニスで愛する人を絶頂させる。その悦びが吾郎の快楽を、さらなる高みに引きあげる。かつてない強烈な絶頂で、睾丸のなかが空になるまで射精は長々とつづいた。

深くつながったまま抱き合うと、再び熱い口づけを交わす。

これから力を合わせて旅館を再生する。自分たちなら、きっとできると信じている。信頼できる絵里もいる。愛する人といっしょなら、怖いものなどなにもなかった。

本書は書き下ろしです。

実業之日本社文庫 は616

癒しの湯 純情女将のお慰め

2023年12月15日　初版第1刷発行

著　者　葉月奏太

発行者　岩野裕一
発行所　株式会社実業之日本社
〒107-0062　東京都港区南青山6-6-22 emergence 2
電話［編集］03(6809)0473［販売］03(6809)0495
ホームページ　https://www.j-n.co.jp/
ＤＴＰ　ラッシュ
印刷所　大日本印刷株式会社
製本所　大日本印刷株式会社

フォーマットデザイン　鈴木正道（Suzuki Design）

ISBN978-4-408-55856-1（第二文芸）